I Narratori / Feltrinelli

JOSÉ SARAMAGO
CAINO

Traduzione di Rita Desti

Feltrinelli

Titolo dell'opera originale
CAIM
© 2009 José Saramago & Editorial Camino, S.A., Lisboa
by arrangement with Literarische Agentur Mertin Inh. Nicole Witt e. K.,
Frankfurt am Main, Germany

Traduzione dal portoghese di
RITA DESTI
© Giangiacomo Feltrinelli Editore Milano
Prima edizione ne "I Narratori" aprile 2010

Stampa Nuovo Istituto Italiano d'Arti Grafiche - BG

ISBN 978-88-07-01806-0

www.feltrinellieditore.it
Libri in uscita, interviste, reading,
commenti e percorsi di lettura.
Aggiornamenti quotidiani

IL RAZZISMO
È UNA
BRUTTA STORIA.
razzismobruttastoria.net

A Pilar, come se dicessi acqua

Per la fede, Abele offrì a Dio un sacrificio migliore di quello di Caino. A causa della sua fede, Dio lo considerò suo amico e accettò con soddisfazione le sue offerte. Ed è per la fede che Abele, anche se è morto, ancora parla.

(Ebreo, 11, 4)
Libro degli spropositi

1.

Quando il signore, noto anche come dio, si accorse che ad adamo ed eva, perfetti in tutto ciò che presentavano alla vista, non usciva di bocca una parola né emettevano un sia pur semplice suono primario, dovette prendersela con se stesso, dato che non c'era nessun altro nel giardino dell'eden cui poter dare la responsabilità di quella mancanza gravissima, quando gli altri animali, tutti quanti prodotti, proprio come i due esseri umani, del sia-fatto divino, chi con muggiti e ruggiti, chi con grugniti, cinguettii, fischi e schiamazzi, godevano già di voce propria. In un accesso d'ira, sorprendente in chi avrebbe potuto risolvere tutto con un altro rapido fiat, corse dalla coppia e, uno dopo l'altro, senza riflessioni e senza mezze misure, gli cacciò in gola la lingua. Dagli scritti a cui sono stati via via, nel corso dei tempi, consegnati un po' a caso gli avvenimenti di queste epoche remote, vuoi di possibile certificazione canonica futura o frutto d'immaginazioni apocrife e irrimediabilmente eretiche, non si chiarifica il dubbio su che lingua sarà stata, se il muscolo flessibile e umido che si muove e rimuove nel cavo orale e a volte anche fuori, o la parola, detta anche idioma, di cui il signore si era deprecabilmente dimenticato e che ignoriamo quale fosse, dato che non ne è rimasta la minima traccia, neppure un semplice cuore inciso sulla corteccia di un albero con una legenda sentimentale, qualcosa sul tipo ti-amo, eva. Siccome una cosa, teoricamente, non dovrebbe andare senza l'altra, è probabile che un secondo fine del violento spintone dato dal signore alle lingue mute dei suoi rampolli fosse di metterle in contatto con le interiorità più profonde dell'essere corporale, le cosiddette parti scomode dell'essere, perché in avvenire, ormai con qualche cognizione di causa, potessero parlare della loro oscura e labirintica confusione alla cui finestra, la bocca, già cominciavano a spuntare. Tutto può essere. Chiaramente, per uno scrupolo da buon artefice che andava unicamente a suo favore, oltre che compensare con la dovuta umiltà la precedente negligenza, il signore volle accertarsi che l'errore fosse stato corretto, e quindi domandò ad adamo, Tu, come ti chiami, e l'uomo rispose, Sono adamo, tuo primogenito, signore. Il creatore, poi, si rivolse alla donna, E tu, come ti chiami tu, Sono eva, signore, la prima dama, rispose lei superfluamente, dato che altre non ce n'erano. Il signore si ritenne soddisfatto, si congedò con un paterno Arrivederci, e riprese la sua vita. Allora, per la prima volta, adamo disse a eva, Andiamo a letto.

Set, il terzogenito della famiglia, verrà al mondo solo centotrent'anni dopo, non perché la gravidanza materna richiedesse tanto tempo per ultimare la fabbricazione di un nuovo discendente, ma perché le gonadi del padre e della madre, i testicoli e l'utero rispettivamente, avevano tardato più di un secolo a maturare e a sviluppare sufficiente potenza generativa. C'è da dire ai precipitosi che il fiat ci fu una volta e mai più, che un uomo e una donna non sono mica delle macchine automatiche, gli ormoni sono una cosa piuttosto complicata, non si producono così da un giorno all'altro, non si trovano in farmacia né al supermercato, bisogna dare tempo al tempo. Prima di set erano venuti al mondo, a breve intervallo di tempo fra l'uno e l'altro, dapprima caino e poi abele. Quello cui non si può non fare immediatamente cenno è la profonda noia che erano stati tanti anni senza vicini, senza distrazioni, senza un bambino lì a gattonare tra la cucina e il salotto, senz'altre visite al di fuori di quelle del signore, e anche queste rarissime e brevi, intervallate da lunghi periodi di assenza, dieci, quindici, venti, cinquant'anni, immaginiamo che poco ci sarà mancato che i solitari occupanti del paradiso terrestre si vedessero come dei poveri orfanelli abbandonati nella foresta dell'universo, ancorché non sarebbero stati in grado di spiegare cosa fosse questa storia di orfani e abbandoni.

È pur vero che, un giorno sì, un giorno no, e anche quel giorno no con altissima frequenza sì, adamo diceva a eva, Andiamo a letto, ma la routine coniugale, aggravata, nel loro caso, da nessuna varietà nelle posizioni per mancanza di esperienza, già allora si dimostrò altrettanto distruttiva di un'invasione di tarli lì a rodere le travature della casa. All'esterno, salvo un po' di polverina che fuoriesce qua e là da minuscoli orifizi, l'attentato si coglie a stento, ma all'interno la processione è ben altra, non ci vorrà molto che venga giù tutto ciò che era parso tanto solido. In situazioni del genere, c'è chi sostiene che la nascita di un figlio può avere effetti rivitalizzanti, se non della libido, che è opera di chimiche assai più complesse che imparare a cambiare un pannolino, almeno dei sentimenti, il che, bisogna riconoscerlo, già non è poco. Quanto al signore e alle sue visite sporadiche, la prima fu per vedere se adamo ed eva avevano avuto problemi nell'installazione domestica, la seconda per sapere se avevano tratto qualche beneficio dall'esperienza della vita campestre e la terza per avvisare che tanto presto non si aspettava di tornare, giacché aveva da far la ronda negli altri paradisi esistenti nello spazio celeste. In effetti, sarebbe riapparso solo molto più tardi, in una data di cui non è rimasta traccia, per scacciare la sventurata coppia dal giardino dell'eden per il nefando crimine di aver mangiato del frutto dell'albero della conoscenza del bene e del male. Questo episodio, che diede origine alla prima definizione di un peccato originale fino ad allora ignorato, non è mai stato ben spiegato. In primo luogo, persino l'intelligenza più rudimentale non avrebbe alcuna difficoltà a comprendere che essere informato sarà sempre preferibile a ignorare, soprattutto in materie tanto delicate come lo sono queste del bene e del male, nelle quali chiunque si mette a rischio, senza saperlo, di una condanna eterna a un inferno che allora era ancora da inventare. In secondo luogo, grida vendetta l'imprevidenza del signore che, se realmente non voleva che mangiassero di quel suo frutto, avrebbe avuto un rimedio facile, sarebbe bastato non piantare l'albero, o andare a metterlo altrove, o circondarlo da un recinto di fildiferro spinato. E, in terzo luogo, non fu per aver disobbedito all'ordine di dio che adamo ed eva scoprirono di essere nudi. Nudi e crudi, con tutto quanto all'aria, c'erano già quando andavano a letto, e se il signore non aveva mai notato una mancanza di pudore così evidente, la colpa era della sua cecità di progenitore, proprio quella che, a quanto pare inguaribile, ci impedisce di vedere che i nostri figli sono, in fin dei conti, tanto buoni o tanto cattivi quanto gli altri.

Mozione d'ordine. Prima di proseguire con questa istruttiva e categorica storia di caino cui, con arditezza mai vista prima, abbiamo messo mano, è forse consigliabile, perché il lettore non si ritrovi confuso per la seconda volta con pesi e misure anacronistici, introdurre qualche criterio nella cronologia degli avvenimenti. Così faremo, dunque, iniziando col chiarire qualche malizioso dubbio sollevato se adamo sarebbe stato ancora idoneo a fare un figlio all'età di centotrent'anni. A prima vista, no, se ci atteniamo unicamente agli indici di fertilità dei tempi moderni, ma quei centotrent'anni, in quell'infanzia del mondo, dovevano rappresentare forse poco più che una semplice e vigorosa adolescenza che persino il più precoce dei casanova auspicherebbe per se stesso. Inoltre, conviene ricordare che adamo visse fino a novecentotrent'anni, per poco, dunque, non andando a morire annegato nel diluvio universale, giacché trapassò nei giorni della vita di lamec, il padre di noè, futuro costruttore dell'arca. Quindi, ebbe tempo e occasione per fare i figli che fece e molti di più se ne avesse avuto voglia. Come abbiamo già detto, il secondo, quello che sarebbe arrivato dopo caino, fu abele, un giovane biondastro, di bell'aspetto, che, dopo essere stato oggetto delle migliori dimostrazioni di stima da parte del signore, finì nella peggior maniera. Il terzo, come pure si è detto, lo chiamarono set, ma questo non entrerà nel racconto che stiamo componendo passo dopo passo con degli scrupoli da storico, ragion per cui lo lasciamo qui, soltanto un nome e nient'altro. C'è chi afferma che fu proprio nella sua testa che nacque l'idea di creare una religione, ma di questi argomenti delicati ci siamo già occupati altrove nel passato, con una leggerezza recriminabile nell'opinione di alcuni esperti, e in termini che molto probabilmente verranno solo a pregiudicarci nelle argomentazioni del giudizio finale quando, vuoi per eccesso vuoi per difetto, tutte le anime saranno condannate. Ora ci interessa solo la famiglia di cui babbo adamo è la testa, e che brutta testa è stata, del resto non vediamo come definirla altrimenti, giacché bastò che la donna gli avesse portato il frutto proibito della conoscenza del bene e del male perché lo sconsiderato primo dei patriarchi, dopo essersi fatto pregare, in verità più per compiacere se stesso che per vera e propria convinzione, se lo fosse ingurgitato, lasciando noialtri, gli uomini, segnati per sempre da quell'irritante pezzo di mela che non va né su né giù. Come pure non manca chi dice che, se adamo non arrivò a ingoiare del tutto il fatale frutto, fu perché il signore gli apparve all'improvviso volendo sapere cos'era successo. Sin d'ora, e prima che ci sfugga definitivamente o la prosecuzione del racconto finisca per rendere inadeguato, perché tardivo, il riferimento, riveleremo la visita confidenziale, semiclandestina, che il signore fece nel giardino dell'eden in una calda notte d'estate. Come al solito, adamo ed eva dormivano nudi, uno accanto all'altra, senza sfiorarsi, immagine edificante ma ingannevole della più perfetta delle innocenze. Loro non si svegliarono e il signore non li svegliò. Quello che lo aveva portato lì era il proposito di emendare un'imperfezione di fabbrica che, alla fine se n'era accorto, imbruttiva seriamente le sue creature e che era, s'immagini, la mancanza di un ombelico. La superficie biancastra della pelle dei suoi bebè, che il soave sole del paradiso non era riuscito ad abbronzare, si mostrava troppo nuda, troppo esposta, in un certo qual modo oscena, ammesso che già allora esistesse questa parola. Senza indugio, non sia mai che dovessero svegliarsi, dio tese il braccio e, lievemente, premette con la punta dell'indice il ventre di adamo, poi fece un rapido movimento di rotazione e l'ombelico apparve. La stessa operazione, praticata successivamente su eva, diede risultati simili, ancorché con l'importante differenza che l'ombelico di lei sarebbe riuscito alquanto migliorato per disegno, contorni e delicatezza di pliche. Fu questa l'ultima volta che il signore guardò un'opera sua e trovò che andava bene.

Cinquant'anni e un giorno dopo questo felice intervento chirurgico con cui sarebbe iniziata un'era nuova nell'estetica del corpo umano sotto il lemma consensuale che tutto vi si può migliorare, ci fu la catastrofe. Annunciato dal fragore di un tuono, il signore si fece presente. Era abbigliato in maniera diversa dalla solita, secondo quella che doveva essere, forse, la nuova moda imperiale del cielo, con una corona tripla sul capo e impugnando lo scettro come un manganello. Io sono il signore, gridò, io sono colui che è. Il giardino dell'eden cadde in un silenzio mortale, non si udiva né il ronzio di una vespa, né il latrato di un cane, né il pigolio di un volatile, né il bramito di un elefante. Solo un nugolo di storni che si era comodamente insediato in un frondoso ulivo che risaliva ai tempi della fondazione del giardino spiccò il volo all'unisono, ed erano centinaia, per non dire migliaia, che quasi oscurarono il cielo. Chi ha disobbedito ai miei ordini, chi si è avvicinato al frutto del mio albero, domandò dio, rivolgendo direttamente ad adamo uno sguardo corrusco, parola desueta ma espressiva come quant'altre mai. Disperato, il pover'uomo tentò, invano, di trangugiare il pezzo di mela che lo denunciava, ma la voce non gli uscì, né dentro né fuori. Rispondi, incalzò la voce collerica del signore, mentre brandiva minacciosamente lo scettro. Facendo i salti mortali, consapevole di quanto fosse brutto incolpare altri, adamo disse, È stata la donna che mi hai dato per conviverci a offrirmi il frutto di quell'albero e io l'ho mangiato. Il signore se la prese allora con la donna e le domandò, Che hai fatto tu, disgraziata, e lei rispose, Il serpente mi ha ingannata e io l'ho mangiato, Falsa, bugiarda, nel paradiso non ci sono serpenti, Signore, io non ho detto che nel paradiso ci siano dei serpenti, dico piuttosto che ho fatto un sogno in cui mi è apparso un serpente, e mi ha detto Allora, come mai il signore vi ha proibito di mangiare il frutto di tutti gli alberi del giardino, e io ho risposto che non era vero, che l'unico che non potevamo mangiare era il frutto dell'albero che sta in mezzo al paradiso e che se lo avessimo toccato saremmo morti, I serpenti non parlano, al massimo sibilano, disse il signore, Quello del mio sogno parlava, E che altro ha detto, si può sapere, domandò il signore, sforzandosi di imprimere alle parole un tono di scherno nient'affatto in accordo con la dignità celestiale dell'abbigliamento, Il serpente ha detto che non saremmo morti, Ah, davvero, l'ironia del signore era sempre più evidente, a quanto pare, questo serpente crede di saperne più di me, È ciò che ho sognato, signore, che non volevi che mangiassimo del frutto perché avremmo aperto gli occhi e saremmo venuti a conoscenza del male e del bene come li conosci tu, signore, E tu che hai fatto, donna perduta, donna leggera, quando ti sei svegliata da un sogno così bello, Mi sono avvicinata all'albero, ho mangiato il frutto e l'ho portato ad adamo, che l'ha mangiato pure lui, Mi è rimasto qui, disse adamo, toccandosi la gola, Benissimo, disse il signore, così l'avete voluto e così l'avrete, d'ora in poi è finita per voi la bella vita, tu, eva, non solo soffrirai tutti i malesseri della gravidanza, comprese le nausee, ma partorirai con dolore, e ciononostante sentirai attrazione per il tuo uomo, e lui comanderà su di te, Povera eva,

17

cominci male, triste destino sarà il tuo, disse eva, Avresti dovuto pensarci prima, e per quanto riguarda te, adamo, la terra ormai è maledetta a causa tua, e sarà con grande sacrificio che riuscirai a trarne alimento per tutta la vita, essa produrrà solo rovi e cardi, e tu dovrai cibarti dell'erba che cresce nei campi, solo a costo di molte gocce di sudore riuscirai a rimediare di che mangiare, finché un giorno tornerai a trasformarti in terra, giacché di terra fosti fatto, in verità, misero adamo, tu sei polvere e alla polvere un giorno ritornerai. Detto ciò, il signore fece apparire un bel po' di pelli di animale per coprire le nudità di adamo ed eva, che si strizzarono l'occhio in segno di complicità, ché loro, di essere nudi, lo sapevano sin dal primo giorno, e ne avevano tratto buon profitto. Disse allora il signore, Avendo conosciuto il bene e il male, l'uomo è divenuto simile a un dio, ora mi ci vorrebbe solo che andassi a cogliere anche il frutto dell'albero della vita per mangiartelo e vivere per sempre, ci mancherebbe altro, due dèi in un universo, ragion per cui scaccio te insieme a tua moglie da questo giardino dell'eden, alla cui porta metterò di guardia un cherubino armato con una spada di fuoco, che non lascerà entrare nessuno, e ora andatevene via, fuori di qui, non voglio vedervi mai più davanti a me. Trascinando sulle spalle le pelli puzzolenti, barcollando sulle gambe malferme, adamo ed eva parevano due oranghi che per la prima volta si fossero messi in piedi. Fuori dal giardino dell'eden la terra era arida, inospitale, il signore non aveva esagerato quando aveva minacciato adamo di rovi e cardi. Proprio come altrettanto aveva annunciato, era finita la bella vita.

2.

La loro prima abitazione fu una caverna angusta, in verità più che una caverna una cavità dalla volta bassa, trovata in un affioramento roccioso a nord del giardino dell'eden mentre, disperati, vagavano in cerca di un rifugio. Lì poterono, finalmente, difendersi dalla brutale scottatura di un sole che non assomigliava affatto a quell'invariabile mitezza di temperatura cui erano abituati, costante di notte e di giorno, e in qualsiasi periodo dell'anno. Abbandonarono le spesse pelli sotto le quali soffocavano per il caldo e il cattivo odore, e tornarono all'originaria nudità, ma, per proteggere dalle aggressioni esterne le parti delicate del corpo, quelle che sono solo più o meno protette fra le gambe, inventarono, utilizzando le pelli più sottili e col pelo più corto, quella che in seguito verrà a chiamarsi gonna, identica nella foggia tanto per le donne come per gli uomini. Durante i primi giorni, senza neanche un tozzo di pane secco da mettere sotto i denti, patirono la fame. Il giardino dell'eden era uberrimo di frutti, anzi, non vi si trovava nient'altro di godibile, persino quegli animali che, per natura, avrebbero dovuto nutrirsi di carne sanguinolenta perché venuti al mondo per essere carnivori, erano stati, per imposizione divina, sottoposti alla stessa malinconica e insoddisfacente dieta. Quello che non si sapeva era da dove fossero venute le pelli che il signore aveva fatto apparire con un semplice schiocco delle dita, come un prestigiatore. Di animali erano, e grandi, ma vai a sapere chi poteva averli uccisi e scuoiati, e dove. Casualmente, lì nei pressi c'era dell'acqua, ma non era che un rivolo torbido, nient'affatto simile al copioso fiume che nasceva nel giardino dell'eden e poi si divideva in quattro rami, uno che andava a irrigare una regione dove si diceva che l'oro abbondasse e l'altro che circondava il paese di cus. Gli altri due, per quanto straordinario sembri ai lettori di oggi, furono subito battezzati coi nomi di tigri ed eufrate. Davanti all'umile fiumiciattolo che laboriosamente si faceva strada tra i rovi e i cardi del deserto, la cosa più probabile è che quel copioso fiume fosse stato un'illusione ottica creata dal signore stesso per rendere più gradevole la vita nel paradiso terrestre. Tutto può accadere. Tutto può accadere, sì, persino l'insolita idea di eva di andare a chiedere al cherubino che le consentisse di entrare nel giardino dell'eden e raccogliere un po' di frutta per ingannare la fame per qualche altro giorno. Scettico, come qualsiasi uomo, circa i risultati di un provvedimento nato da una mente femminile, adamo le disse di andarci da sola e di prepararsi a subire una delusione, C'è quel cherubino di sentinella alla porta con la sua spada di fuoco, non è mica un angelo qualsiasi, di seconda o terza categoria, senza peso né autorità, ma un cherubino di quelli autentici, come vuoi che disobbedisca agli ordini che il signore gli ha dato, fu la sensata domanda, Non lo so, e non lo saprò finché non ci avrò provato, E se non ci riuscirai, Se non ci riuscirò, non avrò perso altro che i passi per andare e venire, e le parole che gli avrò rivolto, rispose lei, Questo sì, ma finiremo per avere problemi se il cherubino andrà a denunciarci al signore, Più problemi di questi che abbiamo adesso, senza un modo per guadagnarci da vivere, senza cibo da metterci in bocca, senza un tetto sicuro né vestiti che siano degni di tal nome, non vedo quali altri problemi potranno sopravvenirci, il signore ci ha già castigato scacciandoci dal giardino dell'eden, peggio di questo non immagino cosa potrà essere, Su ciò che il signore possa o non possa, non sappiamo niente, In tal caso, dovremo forzarlo a spiegarsi, e la prima cosa che dovrà dirci è il motivo per cui ci ha fatto questo e a che scopo, Sei matta, Meglio matta che paurosa, Non mancarmi di rispetto, gridò adamo, infuriato, io non ho paura, non sono pauroso, E io nemmeno, dunque siamo pari, non c'è altro da discutere, Sì, ma non ti scordare che chi comanda qui sono io, Sì, è ciò che ha detto il signore, convenne eva, e assunse l'aria di chi non aveva aperto bocca. Quando il sole perse un po' della sua forza, si mise in cammino con la sua gonna ben rassettata e una delle pelli più leggere sulle spalle. Andava, come dirà qualcuno, tutta a modino, anche se non poteva evitare che i seni, liberi, senza sostegno, si muovessero al ritmo dei passi. Non poteva impedirlo, né del resto ci pensò, intorno non c'era nessuno per cui potessero rappresentare un'attrazione, a quel tempo le tette servivano per allattare e poco più. Era sorpresa di se stessa, della libertà con cui aveva risposto al marito, senza timore, senza dover scegliere le parole, dicendo semplicemente quello che, a suo parere, la situazione giustificava. Era come se dentro di lei dimorasse un'altra donna, nient'affatto dipendente dal signore o da uno sposo da lui designato, una femmina che aveva deciso, infine, di fare pieno uso della lingua e del linguaggio che il suddetto signore, per così dire, le aveva messo in bocca. Attraversò il rivo godendosi la frescura dell'acqua che pareva inondarla dall'interno delle vene nel mentre sperimentava, nello spirito, qualcosa che forse era la felicità, o che almeno assomigliava molto alla parola. Lo stomaco le diede un pizzicotto, non era il momento di provare dei sentimenti positivi. Uscì dall'acqua, andò a raccogliere delle bacche aspre che, per quanto non alimentassero, illudevano per qualche tempo, poco, il bisogno di mangiare. Il giardino dell'eden ormai è vicino, si vedono distintamente le cime degli alberi più alti. Eva cammina più lentamente di prima, e non perché si senta stanca. Adamo, se fosse qui, sicuramente riderebbe di lei, Tanto coraggiosa, tanto coraggiosa, e in definitiva hai una gran paura. Sì, aveva paura, paura di fallire, paura di non trovare parole sufficienti per convincere il guardiano, giunse persino a sussurrare a voce bassa, tale era il suo scoraggiamento, Se fossi uomo sarebbe più facile. Ecco lì il cherubino, la spada di fuoco brilla con una luce maligna nella sua mano destra. Eva si coprì meglio il petto e avanzò. Che vuoi, domandò l'angelo, Ho fame, rispose la donna, Qui non c'è niente che tu possa mangiare, Ho fame, insistette lei, Tu e tuo marito siete stati scacciati dal giardino dell'eden dal signore e la sentenza non ha appello, ritirati, Mi ucciderai se cercherò di entrare, domandò eva, Per ciò il signore mi ha messo di guardia, Non hai risposto alla mia domanda, L'ordine che ho è questo, Uccidermi, Sì, Dunque, obbedirai all'ordine. Il cherubino non rispose. Mosse il braccio nella cui mano la spada di fuoco sibilava come un serpente. Fu la sua risposta. Eva fece un passo avanti. Resta dove sei, disse il cherubino, Dovrai uccidermi, non resterò dove sono, e fece un altro passo, starai qui a custodire un frutteto di frutta marcia che non appetirà nessuno, il frutteto di dio, il frutteto del signore, aggiunse. Che vuoi, domandò di nuovo il cherubino, il quale parve non capire che la ripetizione sarebbe stata interpretata come un segno di debolezza, Lo ripeto, ho fame, Pensavo che ormai foste lontani, E dove potremmo andare, domandò eva, ci troviamo in mezzo a un deserto che non conosciamo e dove non si vede una strada, un deserto in cui durante questi giorni non è passata anima viva, abbiamo dormito in un buco, ci siamo cibati d'erba, come il signore ha promesso, e abbiamo la diarrea, Diarrea, che cos'è, domandò il cherubino, Si può chiamare anche cagotto, il vocabolario che il signore ci ha insegnato funziona per tutto, avere la diarrea, o il cagotto, se questa parola ti piace di più, significa che non riesci a trattenere la merda che hai dentro di te, Non so cosa sia, Vantaggio di essere angelo, disse eva, e sorrise. Al cherubino piacque vedere quel sorriso. Anche in cielo si sorrideva molto, ma sempre seraficamente e con una leggera espressione di contrarietà, come chi chiede scusa del fatto di essere contento, ammesso che quella si potesse definire contentezza. Eva aveva vinto la battaglia dialettica, ora mancava solo quella del cibo. Disse il cherubino, Ti porterò qualche frutto, ma tu non dirlo a nessuno, La mia bocca non si aprirà, comunque sia, mio marito dovrà saperlo, Torna con lui domani, dobbiamo fare due chiacchiere. Eva si tolse dalle spalle la pelle che aveva indosso e disse, Usa questa per portare la frutta. Era nuda dalla vita in su. La spada sibilò con più forza come se avesse ricevuto un subitaneo afflusso di energia, la stessa energia che portò il cherubino a fare un passo avanti, la stessa che gli fece alzare la mano sinistra e sfiorare il seno della donna. Non successe altro, non poteva succedere altro, agli angeli, fintanto che lo sono, è proibito qualsiasi commercio carnale, solo gli angeli decaduti sono liberi di unirsi a chi vogliano e a chi li voglia. Eva sorrise, posò la mano sulla mano del cherubino e se la premette dolcemente sul seno. Il suo corpo era coperto di sporcizia, le unghie nere come se le avesse usate per scavare la terra, la chioma simile a un nido di anguille aggrovigliate, ma era una donna, l'unica. L'angelo entrò nel giardino, vi si trattenne il tempo necessario per scegliere i frutti più nutrienti, altri ricchi d'acqua, e tornò curvo sotto un buon carico. Ecco qua, disse, ed eva domandò, Come ti chiamano, e lui rispose, Il mio nome è azaele, Grazie per la frutta, azaele, Non potevo lasciar morire di fame quelli che il signore ha creato, Il signore te ne sarà grato, ma è meglio se non gliene parli. Il cherubino parve non avere udito, oppure non udì proprio, occupato com'era ad aiutare eva a mettersi sulle spalle il fagotto di pelle, mentre diceva, Torna domani con adamo, parleremo di alcune cose che vi conviene conoscere, Ci saremo, rispose lei.

Il giorno seguente, adamo accompagnò la donna al giardino dell'eden. Su idea di lei si lavarono come meglio poterono nel rivo e il loro meglio fu pochissimo, per non dire niente, perché l'acqua senza il sapone a darle una mano non è che una misera illusione di pulizia. Si sedettero a terra e a quel punto si vide subito che il cherubino azaele non era tipo da perdere tempo, Non siete gli unici esseri umani che esistono sulla terra, cominciò, Non siamo gli unici, esclamò adamo, stupefatto, Non farmi ripetere quanto già detto, Chi è che ha creato questi esseri, dove si trovano, Dovunque, È stato il signore a crearli come ha creato noi, domandò eva, Non posso rispondere, e se insistete a domandarlo la nostra conversazione finisce qui, ciascuno a quel che gli compete, io a guardia del giardino dell'eden, voi alla vostra grotta e alla vostra fame, In tal caso, ben presto saremo morti, disse adamo, a me nessuno ha insegnato a lavorare, non posso zappare né coltivare la terra perché mi mancano la zappa e l'aratro, e se li avessi bisognerebbe che imparassi a maneggiarli e in questo deserto non ci sarebbe nessuno a insegnarmelo, alla fin fine saremmo stati meglio con la polvere che eravamo prima, senza volontà né desiderio, Hai parlato come un libro, disse il cherubino, e adamo fu contento di aver parlato come un libro, lui che non aveva mai fatto degli studi. Poi eva domandò, Se già esistevano degli altri esseri umani, perché allora il signore ci ha creati, Ormai dovreste saperlo che i disegni del signore sono imperscrutabili, ma, se ho ben capito da qualche mezza parola, si è trattato di un esperimento, Un esperimento, noi, esclamò adamo, un esperimento, a che pro, Di ciò che non conosco per scienza certa non oserei parlare, il signore avrà pure le sue ragioni per mantenere il silenzio sull'argomento, Noi non siamo un argomento, siamo due persone che non sanno come poter vivere in futuro, disse eva, Non ho ancora terminato, disse il cherubino, Allora parla, e che dalla tua bocca esca una buona notizia, foss'anche una sola. Ascoltate, non troppo distante da qui passa una strada frequentata di tanto in tanto dalle carovane che vanno ai mercati o ne tornano, la mia idea è che dovreste accendere un falò che facesse fumo, molto fumo, in modo che si possa vedere da lontano, Non abbiamo niente con cui accenderlo, interruppe eva, Tu non ce l'hai, ma io sì, Che cosa, Questa spada di fuoco, a qualcosa servirà finalmente, basta avvicinarne la punta arroventata ai cardi secchi e alla paglia e avrete un falò che si potrà vedere dalla luna, figurarsi da una carovana che passa in lontananza, quello cui dovrete stare attenti è non lasciare che il fuoco si espanda, una cosa è un falò, ben altra un intero deserto lì a bruciare, finirebbe per appiccarsi al giardino dell'eden, e io mi ritroverei senza lavoro, E se le persone non compaiono, domandò eva, Sì che compaiono, compaiono, puoi stare tranquilla, rispose azaele, gli esseri umani sono curiosi per natura, quelli vorranno sapere chi ha acceso il falò e con che intenzione l'abbia fatto, E dopo, domandò adamo, Dopo sta a voi, a quel punto io non posso nulla, fate in modo di unirvi alla carovana, chiedete che vi assumano solo in cambio di un po' di cibo, sono convinto che quattro braccia per un piatto di lenticchie sarà un buon affare per tutti, tanto per la parte committente come per la contraente, quando questo accadrà non dovrete dimenticarvi di spegnere il falò, così saprò che ormai siete andati via, sarà la tua occasione di apprendere ciò che non sai, adamo. Il piano era eccellente, ci sono al mondo dei cherubini che sono una vera e propria provvidenza, mentre il signore, almeno in questo esperimento, non si è preoccupato affatto del futuro delle sue creature, azaele, il guardiano angelico incaricato di tenerle lontane dal giardino dell'eden, le ha accolte cristianamente, ha garantito loro il cibo e, soprattutto, le ha preparate alla vita con qualche preziosa idea pratica, un vero e proprio cammino di salvezza del corpo, e dunque dell'anima. La coppia si profuse in manifestazioni di gratitudine, eva versò addirittura qualche lacrima quando abbracciò azaele, una dimostrazione d'affetto tutt'altro che gradita al marito, che in seguito non riuscì a reprimere la domanda che gli stava scappando dalla bocca, Gli hai dato qualcosa in cambio, Che cosa e a chi, disse a quel punto eva, sapendo benissimo a chi si riferiva lo sposo, A chi doveva essere, a lui, ad azaele, disse adamo omettendo per precauzione la prima parte della questione, È un cherubino, un angelo, rispose eva, e altro non ritenne necessario aggiungere. Si crede sia stato in questo giorno che ha avuto inizio la guerra dei sessi. La carovana tardò tre settimane a comparire. Ovviamente, non è che si avvicinò tutta quanta alla caverna in cui adamo ed eva vivevano, solo un drappello avanzato di tre uomini che non avevano autorità per negoziare contratti di lavoro, ma che si mossero a compassione di quei miserabili e gli fecero posto sulla groppa degli asini che montavano. Il capo della carovana avrebbe deciso cosa farne. Nonostante questo dubbio, come chi chiude una porta al momento di congedarsi, adamo spense il falò. Quando l'ultimo fumo si dissipò nell'atmosfera, il cherubino disse, Se ne sono andati, buon viaggio.

3.

Le cose non gli andarono male. Furono accettati nella carovana malgrado la loro evidente incapacità lavorativa e non dovettero dare troppe spiegazioni su chi erano e da dove venivano. Che si erano perduti, dissero, e, in ultima istanza, era proprio così. A parte il fatto che erano figli del signore, opera uscita direttamente dalle sue mani divine, circostanza, questa, che nessuno lì era in condizione di conoscere, non si notavano particolari differenze fisionomiche tra i due e i loro provvidenziali ospiti, si sarebbe detto, anzi, che appartenessero tutti alla stessa razza, capelli neri, pelle bruna, occhi scuri, sopracciglia accentuate. Quando abele nascerà, tutti i vicini si stupiranno del roseo biancore con cui è venuto al mondo, come se fosse figlio di un angelo, o di un arcangelo, o di un cherubino, non sia mai. Il piatto di lenticchie non venne mai a mancare e non tardò molto che adamo ed eva cominciassero a riscuotere un salario, poca cosa, quasi simbolica, ma che rappresentava già l'inizio di una vita. Non solo adamo, ma anche eva, che non era certo nata per fare la signora, furono poco alla volta iniziati ai misteri del lavoro manuale, sia in operazioni così semplici come fare un nodo scorsoio a una corda sia più complesse come maneggiare un ago senza pungersi troppo le dita. Quando la carovana giunse al villaggio da dove era partita settimane prima per commerciare, prestarono loro una tenda e delle stuoie su cui dormire, e fu grazie a questi e altri periodi di vita stabile che adamo poté, alla fine, imparare a zappare e a coltivare la terra, a lanciare sementi nei solchi, fino ad arrivare alla sublime arte della potatura, quella che nessun signore, nessun dio era stato capace di inventare. Cominciò lavorando con degli attrezzi che gli prestavano, poi mise insieme poco alla volta il proprio armamentario e in capo a pochi anni era ormai considerato dai vicini un buon agricoltore. I tempi del giardino dell'eden e della caverna nel deserto, i rovi e i cardi, il rivo di acque torbide, si andarono via via sfumando nella memoria fino a comparire ogni tanto come invenzioni gratuite non vissute, e neppure sognate, ma intuite come qualcosa che poteva essere stata un'altra vita, un altro essere, un altro diverso destino. È pur certo che nei ricordi di eva c'era un posto riservato per azaele, il cherubino che aveva infranto gli ordini del signore per salvare da morte certa le sue opere, ma quello era un segreto suo, mai confidato a nessuno. E arrivò il giorno in cui adamo poté comprare un pezzo di terra, dichiararla sua ed erigere, sul pendio di una collina, una casa di mattoni rustici, dove ormai sarebbero potuti nascere i suoi tre figli, caino, abele e set, tutti lì a gattonare, al momento giusto della vita di ciascuno, tra la cucina e il salotto. E anche tra la cucina e il campo, giacché i due maggiori, una volta divenuti grandicelli, con l'ingenua astuzia dei loro pochi anni, si servivano di tutti i pretesti validi e meno validi per farsi portare con sé dal padre, in groppa all'asino di famiglia, al suo posto di lavoro. Presto si vide che le vocazioni dei due piccini non coincidevano. Mentre abele preferiva la compagnia delle pecore e degli agnelli, le gioie di caino erano tutte rivolte alle zappe, ai forconi e alle falci, uno, destinato a farsi strada nell'allevamento, l'altro, ad avviarsi nell'agricoltura. C'è da riconoscere che la distribuzione della mano d'opera domestica era assolutamente soddisfacente, visto che nel complesso copriva i due settori più importanti dell'economia dell'epoca. Era voce unanime, tra i vicini, che quella famiglia aveva un futuro.

E lo avrebbe avuto, come ben presto si sarebbe dovuto vedere, con il sempre indispensabile aiuto del signore, che c'è apposta per questo. Sin dalla più tenera infanzia caino e abele erano stati i migliori amici, al punto tale da non sembrare neanche fratelli, dove andava uno, andava pure l'altro, e tutto facevano di comune accordo. Il signore li ha voluti, il signore li ha uniti, come dicevano in paese le madri gelose, e pareva vero. Finché un giorno il futuro ritenne che fosse giunto il momento di presentarsi. Abele aveva il suo bestiame, caino il suo agro, e, come dettavano la tradizione e il dovere religioso, offrirono al signore le primizie del proprio lavoro, bruciando abele la tenera carne di un agnello e caino i prodotti della terra, un mucchietto di spighe e sementi. Successe allora qualcosa fino a oggi senza spiegazione. Il fumo della carne offerta da abele salì in linea retta fino a sparire nello spazio infinito, segno che il signore accettava il sacrificio e se ne compiaceva, mentre il fumo dei vegetali di caino, coltivati con un amore quanto meno uguale, non andò lontano, disperdendosi immediatamente lì, a poca altezza dal suolo, il che significava che il signore lo rifiutava senza alcun riguardo. Inquieto, perplesso, caino propose ad abele che si scambiassero il posto, poteva darsi che ci fosse una corrente d'aria che forse era la causa della perturbazione, e così fecero, ma il risultato fu lo stesso. Era chiaro, il signore disdegnava caino. Fu allora che il vero carattere di abele venne a galla. Invece di compenetrarsi nel dispiacere del fratello e consolarlo, lo schernì, e, come se ciò non bastasse, si mise a decantare la propria persona, proclamandosi, davanti all'attonito e sconcertato caino, come un favorito del signore, un eletto da dio. L'infelice caino non poté far altro che ingoiare l'affronto e tornare al lavoro. La scena si ripeté, invariata, per una settimana, sempre un fumo che saliva, sempre un fumo che si poteva toccare con mano e immediatamente si disfaceva nell'aria. E sempre la mancanza di compassione di abele, le facezie di abele, il disprezzo di abele. Un giorno caino chiese al fratello di accompagnarlo in una valle vicina dov'era voce corrente che si rintanasse una volpe e lì, con le sue stesse mani, lo uccise colpendolo con una mascella di giumento che aveva nascosto prima in un cespuglio, dunque con perfida premeditazione. Fu in quel preciso istante, cioè in ritardo rispetto agli avvenimenti, che risuonò la voce del signore, e non solo risuonò la voce ma apparve lui. Tanto tempo senza dare notizie, e adesso era qui, vestito come quando aveva scacciato dal giardino dell'eden gli sventurati genitori di questi due. Ha sul capo la corona tripla, la mano destra impugna lo scettro, una palandrana di ricco tessuto lo copre dalla testa ai piedi. Che hai fatto a tuo fratello, domandò, e caino rispose con un'altra domanda, Ero forse il guardaspalle di mio fratello, L'hai ucciso, Proprio così, ma il primo colpevole sei tu, io avrei dato la vita per la sua vita se tu non avessi distrutto la mia, Ho voluto metterti alla prova, E chi sei tu per mettere alla prova colui che tu stesso hai creato, Sono il signore sovrano di tutte le cose, E di tutti gli esseri, dirai, ma non di me né della mia libertà, Libertà di uccidere, Come tu sei stato libero di lasciare che uccidessi abele quando era nelle tue mani evitarlo, sarebbe bastato che per un attimo abbandonassi la superbia dell'infallibilità che condividi con tutti gli altri dèi, sarebbe bastato che per un attimo fossi realmente misericordioso, che accettassi la mia offerta con umiltà, solo perché non avresti dovuto osare rifiutarla, gli dèi, e tu come tutti gli altri, hanno dei doveri verso coloro che dicono di aver creato, Questo è un discorso sedizioso, Può darsi che lo sia, ma ti garantisco che, se io fossi dio, tutti i giorni direi Benedetti siano coloro che hanno scelto la sedizione perché loro sarà il regno della terra, Sacrilegio, Forse, ma in ogni caso mai più grande del tuo, che hai permesso che abele morisse, Sei tu che l'hai ucciso, Sì, è vero, io sono stato il braccio esecutore, ma la sentenza l'hai dettata tu, Quel sangue non l'ho fatto versare io, caino avrebbe potuto scegliere tra il bene e il male, se ha scelto il male pagherà per questo, Ladro lo è tanto colui che va nella vigna quanto chi sorveglia il guardiano, disse caino, E questo sangue reclama vendetta, insistette dio, In tal caso, ti vendicherai nello stesso tempo di una morte reale e di un'altra che non è giunta a esserci, Spiegati, Non ti piacerà quello che sentirai, Tu non te ne preoccupare, parla, È semplice, ho ucciso abele perché non potevo uccidere te, nell'intenzione sei morto, Comprendo ciò che vuoi dire, ma la morte è vietata agli dèi, Sì, anche se dovrebbero farsi carico di tutti i crimini commessi in loro nome o per causa loro, Dio è innocente, tutto sarebbe uguale se non esistesse, Ma io, giacché ho ucciso, potrò morire per mano di chiunque mi incontri, Non sarà così, farò un accordo con te, Un accordo con il reprobo, domandò caino, a stento credendo a ciò che aveva appena udito, Diremo che è un accordo di responsabilità condivisa per la morte di abele, Allora riconosci la tua parte di colpa, La riconosco, ma non dirlo a nessuno, sarà un segreto tra dio e caino, Non è vero, forse sto sognando, Con gli dèi questo accade spesso, Perché i vostri disegni sono, come si dice, imperscrutabili, domandò caino, Queste parole non le ha pronunciate nessun dio che io conosca, a noi non verrebbe mai in mente di dire che i nostri disegni sono imperscrutabili, questa è una cosa inventata da uomini che presumono di trattarsi da pari a pari con la divinità, Allora non sarò castigato per il mio crimine, domandò caino, La mia parte di colpa non assolve la tua, avrai il tuo castigo, Quale, Andrai errante e smarrito nel mondo, In tal caso, chiunque potrà uccidermi, No, perché metterò un segno sulla tua fronte, nessuno ti farà del male, ma, a ripagare la mia benevolenza, tu cerca di non fare del male a nessuno, disse il signore, sfiorando col dito indice la fronte di caino, dove apparve una piccola macchia nera, Questo è il segno della tua condanna, aggiunse il signore, ma è anche il segno che sarai tutta la vita sotto la mia protezione e sotto la mia censura, ti sorveglierò dovunque tu sia, Accetto, disse caino, Non potresti fare altro, Quando inizia il mio castigo,

Proprio ora, Potrò prendere commiato dai miei genitori, domandò caino, Questo è affar tuo, nelle faccende di famiglia io non m'intrometto, ma di certo vorranno sapere dov'è abele, e suppongo non andrai a dirgli che l'hai ucciso, No, No che cosa, Non prenderò commiato dai miei genitori, Allora, parti. Non c'era nient'altro da dire. Il signore scomparve prima che caino avesse mosso un passo. Il viso di abele era coperto di mosche, c'erano mosche sui suoi occhi aperti, mosche sulla commissura delle labbra, mosche sulle ferite che aveva subito alle mani quando le aveva alzate per proteggersi dai colpi. Povero abele, che dio aveva ingannato. Il signore aveva fatto una pessima scelta per l'inaugurazione del giardino dell'eden, nella roulette che aveva cominciato a far girare avevano perso tutti, nel tiro al bersaglio tra ciechi nessuno aveva fatto centro. Ad eva e adamo restava ancora la possibilità di generare un figlio per compensare la perdita di quello assassinato, ma è ben triste davvero chi non ha altro scopo nella vita se non quello di fare figli senza saperne il perché né a che pro. Per perpetuare la specie, dicono quelli che credono in un obiettivo finale, in una ragione ultima, sebbene non abbiano alcuna idea di quali siano e che non si sono mai domandati in nome di cosa la specie dovrà perpetuarsi come se fosse soltanto lei l'unica ed estrema speranza dell'universo. Nell'uccidere abele perché non ha potuto uccidere il signore, caino ha già dato la sua risposta. Non si presagisce niente di buono della vita futura di quest'uomo.

4.

Eppure, quest'uomo che ora sta camminando tormenta-
to, perseguitato dai propri passi, questo maledetto, questo
fratricida, ha avuto un buon principio come pochi altri. Potrebbe dirlo sua madre, che tante volte lo ha trovato, seduto
sul terreno umido dell'orto, lì a guardare un alberello appena piantato, in attesa di vederlo crescere. Aveva quattro o cinque anni e voleva veder crescere gli alberi. Allora lei, a quanto pare ancora più fantasiosa di suo figlio, gli aveva spiegato
che gli alberi sono molto timidi, crescono solo quando non
ce ne stiamo lì a guardarli, È che si vergognano, gli aveva detto un giorno. Per qualche istante caino se n'era rimasto zitto,
a pensare, ma subito dopo aveva risposto, Allora tu non guardare, mamma, di me non si vergognano, ci sono abituati. Pre-
vedendo già quel che ne sarebbe seguito, la madre aveva svia-
to lo sguardo e immediatamente la voce del figlio risuonava
trionfante, È appena cresciuto, è appena cresciuto, te lo di-
cevo io di non guardare. Quella sera, quando adamo era tornato dal lavoro, eva gli aveva raccontato ridendo cos'era successo e il marito aveva risposto, Questo ragazzo andrà lontano. Forse ci sarebbe andato, sì, se il signore non avesse in-
crociato la sua strada. Piuttosto lontano, comunque, ci stava
ormai andando, anche se non nel senso vaticinato dal padre.
Trascinando i piedi per la stanchezza, avanzava in una landa
desolata senza neanche un rudere di casolare in vista o altro

segno di vita, una solitudine dilacerante che il cielo coperto contribuiva ad aumentare con la minaccia di un acquazzone imminente. Non avrebbe avuto dove rifugiarsi, se non sotto uno di quei pochi alberi che, lentamente, a mano a mano che camminava, cominciavano a mostrare le fronde sull'orizzonte prossimo. Le ramature, per lo più scarsamente popolate di foglie, non garantivano una protezione degna di tal nome. Fu allora, nel momento in cui caddero le prime gocce, che caino si accorse di avere la tunica sporca di sangue. Pensò che, forse, la macchia sarebbe andata via con la pioggia, ma subito dopo si rese conto che no, meglio dissimularla con un po' di terra, nessuno avrebbe mai potuto sospettare quel che c'era sotto, tanto più che gente con tuniche sporche e impataccate davvero non ne mancava da queste parti. Cominciò a piovere forte, in breve tempo la tunica era tutta zuppa, della macchia di sangue non si scorgeva più la minima traccia, e inoltre lui avrebbe pur sempre potuto dire, se gli avessero fatto qualche domanda, che si trattava di sangue d'agnello. Sì, disse caino a voce alta, ma abele non era affatto un agnello, era mio fratello, e io l'ho ucciso. In quel momento non gli sovvenne di aver detto al signore che erano entrambi colpevoli del crimine, ma la memoria non tardò ad aiutarlo, perciò aggiunse, Se il signore, che, a quanto si dice, tutto sa e tutto può, avesse fatto svanire da lì quella mascella d'asino, io non avrei ucciso abele, e ora potremmo starcene tutti e due davanti alla porta di casa a guardare la pioggia che cade, e abele riconoscerebbe che il signore aveva fatto davvero male a non accettare l'unica cosa che avevo da offrirgli, le sementi e le spighe nate dalla mia pena e dal mio sudore, e lui sarebbe ancora vivo e noi saremmo tanto amici come lo eravamo sempre stati. Piangere sul latte versato non è poi tanto inutile quanto si dice, è in qualche modo istruttivo perché ci mostra la vera dimensione della frivolezza di certi procedimenti umani, in quanto se il latte si è versato, ormai è fatta e adesso non ci resta che pulirlo, e se abele ha fatto una brutta morte è perché qualcuno gli ha tolto la vita. Riflettere mentre la pioggia continua a caderci addosso non è certamente la cosa più comoda del mondo, ed è forse questo il motivo per cui da un momento all'altro smise di piovere, perché caino potesse avere la possibilità di pensare a proprio agio, di seguire liberamente il corso del pensiero per vedere sin dove lo avrebbe condotto. Non arriveremo mai a saperlo, né noi, né lui, l'improvvisa comparsa, come se uscisse dal nulla, di quanto restava di un casolare lo distrasse dalle sue cogitazioni e dai suoi rammarichi. C'erano segni di coltivazione della terra nel retro della casa, ma era evidente che gli abitanti l'avevano abbandonata ormai da lungo tempo, o forse neanche tanto se teniamo conto della fragilità intrinseca, della precaria coesione dei materiali di queste umili abitazioni, che hanno bisogno di continue riparazioni per non crollare nel giro di una stagione. Se le viene a mancare una mano premurosa, difficilmente la casa resisterà all'azione corrosiva delle intemperie, specialmente della pioggia che imbeve i mattoni e del vento che continua a rasparla come se fosse fatto di carta vetrata. Alcune delle pareti interne erano cadute, il soffitto era crollato quasi dappertutto, era sopravvissuto solo un angolo relativamente protetto dove l'esausto camminatore si accasciò. A stento si reggeva sulle gambe, non solo per quanto aveva camminato, ma anche perché la fame cominciava a tormentarlo. Il giorno stava quasi per concludersi, ben presto sarebbe scesa la sera. Mi fermerò qui, disse caino a voce alta, com'era suo solito, quasi avesse bisogno di tranquillizzare se stesso, proprio lui che in questo momento nessuno sta minacciando, probabilmente non lo sa neanche il signore dove si trova. Malgrado la temperatura non fosse troppo rigida, la tunica bagnata, appiccicata alla pelle, gli causava i brividi. Caino pensò che, togliendosela, avrebbe preso due piccioni con una fava, primo perché i tremori sarebbero passati, e poi perché la tunica, essendo fatta di un tessuto più sul sottile che sullo spesso, in poco tempo si sarebbe asciugata. Così fece e immediatamente si sentì meglio. Vero è che non gli parve bello vedersi lì nudo com'era venuto al mondo, ma era solo, senza testimoni, senza nessuno che potesse sfiorarlo. Questo pensiero gli provocò un nuovo brivido, non lo stesso, non quello che era stato provocato dal contatto con la tunica bagnata, bensì una sorta di scossa nella zona del sesso, un leggero turgore che non tardò a scomparire, come se si fosse vergognato di se stesso. Caino sapeva di che si trattava, ma, nonostante la giovane età, non vi prestava granché attenzione o, semplicemente, aveva paura che potesse venirgliene più male che bene. Si raggomitolò nel suo angolo, avvicinando le ginocchia al petto, e così si addormentò. Il freddo dell'alba lo svegliò. Tese la mano per palpare la tunica, vi sentì ancora un residuo di umidità, ma, ciononostante, decise di indossarla, avrebbe finito di asciugarsi addosso. Non aveva fatto sogni né incubi, aveva dormito come si suppone dovrà dormire un sasso, senza coscienza, senza responsabilità, senza colpa, ma, svegliandosi, alle prime luci del mattino, le sue parole furono, Ho ucciso mio fratello. Se i tempi fossero stati diversi, forse avrebbe pianto, forse si sarebbe disperato, forse si sarebbe preso a pugni sul petto e sul capo, ma, stando così le cose, col mondo che in pratica è stato inaugurato solo adesso, ci mancano ancora un mucchio di parole per iniziare a tentare di dire chi siamo e non sempre troveremo quelle che meglio lo spieghino, si accontentò di ripetere quelle che aveva pronunciato finché cessarono di avere un significato e altro non furono che una serie di suoni sconnessi, dei balbettii senza senso. Soltanto allora si rese conto che, in definitiva, aveva sognato, non esattamente un sogno, ma un'immagine, la propria, lui che rientrava a casa e incontrava il fratello sulla soglia della porta, lì ad aspettarlo. Così lo ricorderà per tutta la vita, come se avesse fatto pace con il proprio crimine e non ci fosse altro rimorso che soffrire.

Uscì dal casolare e aspirò profondamente l'aria fresca. Il sole non era ancora sorto, ma il cielo s'illuminava già di de-

licati toni variopinti, quanto bastava perché l'arido e mono-
tono paesaggio che aveva davanti agli occhi, in queste prime
luci del mattino, gli apparisse trasfigurato, una sorta di giardino dell'eden senza proibizioni. Caino non aveva alcun motivo per orientare i passi in una direzione precisa, ma istinti-
vamente cercò le orme che aveva lasciato prima di deviare
verso quel casolare in cui aveva trascorso la notte. Era semplice, in definitiva sarebbe bastato andare incontro al sole, da
quella parte, dove fra non molto si sarebbe alzato. Apparentemente pacificato dalle ore di sonno, lo stomaco aveva mo-
derato le contrazioni, e bene sarebbe stato che si mantenesse in tale disposizione perché speranze di cibo prossimo non
ce n'erano affatto, e se è vero che di tanto in tanto compari-
va qua e là qualche albero di fico, frutti non ne aveva, perché
non era il loro momento. Con un residuo di energia che non
immaginava di possedere ancora, caino riprese la camminata. È spuntato il sole, oggi non pioverà, può anche darsi che
faccia addirittura caldo. Non molto tempo dopo, cominciò a
sentirsi di nuovo stanco. Doveva trovare qualcosa da mangiare, altrimenti sarebbe morto di stenti in questo deserto, e
nel giro di pochi giorni si sarebbe ridotto a un mucchio di ossa, e poi ci avrebbero pensato gli uccelli carnivori o qualche
muta di cani inselvatichiti che fino a ora non si erano ancora
fatti vedere. Era scritto, però, che la vita di caino non sarebbe finita qui, soprattutto perché non sarebbe valsa la pena
che il signore avesse perso tanto tempo a maledirlo se poi doveva venire a morire in questa landa. L'avvisaglia venne dal
basso, dai piedi affaticati che avevano tardato a percepire che
il terreno su cui ora si muovevano era diverso ormai, privo di
vegetazione, senza erba né cardi che fossero di ostacolo al
passo, insomma, per dirla in poche parole, caino, senza sapere come né quando, aveva trovato una strada. Si rallegrò il
povero errante, giacché norma ben nota è che una via di tran-
sito, strada, sentiero o carrareccia, finirà per condurre, prima o poi, vicino o lontano, a un luogo abitato dove sia pos-

sibile trovare un lavoro, un tetto e un tozzo di pane che ammazzi questa fame. Animato dall'improvvisa scoperta, facendo, come si suol dire, i salti mortali, andò a pescare le forze dove ormai non ce n'erano più e accelerò il passo, sempre aspettandosi di veder comparire una casa con segni di vita, un uomo in groppa a un asino o una donna con una brocca sul capo. Dovette camminare ancora molto. Il vecchio che finalmente gli comparve davanti era a piedi e conduceva due pecore legate con una cordicella. Caino lo salutò con le parole più cordiali del suo vocabolario, ma l'uomo non ricambiò, Cos'è codesto segno che hai lì sulla fronte, gli domandò. Colto di sorpresa, caino ribattè a sua volta, Quale segno, Questo, disse l'uomo, portandosi la mano alla fronte, È un segno che ho dalla nascita, rispose caino, Non devi essere una brava persona, Chi te l'ha detto, come lo sai, rispose caino imprudentemente, Come dice il vecchio ritornello, il diavolo che ti ha segnato, qualche difetto te l'avrà trovato, Non sono migliore né peggiore degli altri, cerco lavoro, disse caino tentando di portare il discorso sul terreno che gli conveniva, Lavoro qui non ne manca davvero, tu che sai fare, domandò il vecchio, Sono agricoltore, Agricoltori ne abbiamo già in quantità sufficiente, in questo campo non troverai niente, e inoltre arrivi da solo, senza famiglia, La mia l'ho perduta, L'hai perduta come, Semplicemente l'ho perduta, e non c'è altro da raccontare, In tal caso, ti lascio, non mi piacciono né la tua faccia né codesto segno che hai sulla fronte. Stava ormai per allontanarsi quando caino lo trattenne, Non te ne andare, dimmi almeno come si chiamano questi posti, Li chiamano terra di nod, E nod che vuol dire, Significa terra della fuga o terra degli erranti, e tu dimmi, giacché sei arrivato sin qui, da cosa stai fuggendo e perché sei un errante, Non racconto la mia vita al primo che incontro per la strada con due pecore legate con una cordicella, e inoltre non ti conosco, non ti devo rispetto e non ho da rispondere alle tue domande, Ci rivedremo, Chissà, forse qui non troverò lavoro e dovrò cercare un altro destino, Se sei capace di fabbricare un mattone e tirar su una parete, questo è il tuo destino, Dove devo andare, domandò caino, Prosegui diritto su questa via, in fondo c'è una piazza, lì avrai la risposta, Addio, vecchio, Addio, speriamo che non arrivi a esserlo tu, Sotto le parole che pronunci mi accorgo che ce ne sono altre che taci, Sì, per esempio, codesto tuo segno non è di nascita, e neppure te lo sei fatto da solo, niente di ciò che hai detto è vero, Può darsi che la mia verità sia per te menzogna, Può darsi, sì, il dubbio è il privilegio di chi ha vissuto molto, sarà per questo che non sei riuscito a convincermi ad accettare come certezze quelle che a me sembrano piuttosto falsità, Chi sei tu, domandò caino, Attento, ragazzo, se mi domandi chi sono stai riconoscendo il mio diritto a voler sapere chi sei tu, Niente mi obbligherà a dirtelo, Stai per entrare in questa città, resterai qui, prima o poi tutto si verrà a sapere, Solo quando dovrà essere e non da me, Dimmi, almeno, come ti chiami, Abele è il mio nome, disse caino.

Mentre il falso abele comincia a incamminarsi verso la piazza dove, a dire del vecchio, s'incontrerà con il suo destino, accogliamo la pertinentissima osservazione di alcuni lettori vigili, di quelli sempre attenti, che considerano che il dialogo che abbiamo appena registrato come accaduto non sarebbe storicamente né culturalmente possibile, che un contadino con poca e ormai nessuna terra, e un vecchio mai visto e conosciuto non potrebbero mai pensare e parlare così. Hanno ragione quei lettori, ma la questione non starà tanto nel disporre o non disporre di idee e vocabolario sufficiente per esprimerle, bensì nella nostra personale capacità di ammettere, foss'anche solo per semplice empatia umana e generosità intellettuale, che un campagnolo delle prime ere del mondo e un vecchio con due pecore legate con una cordicella, unicamente con il loro sapere limitato e un linguaggio che stava ancora facendo i primi passi, fossero spinti dalla necessità a sperimentare dei modi di esprimere premonizioni e intuizioni apparentemente fuori dalla loro portata. Che i due non pronunciarono quelle parole, è più che ovvio, ma i dubbi, i sospetti, le perplessità, gli avanti e indietro della discussione ci furono tutti. Quello che abbiamo fatto noi è stato semplicemente trasporre nel portoghese corrente il duplice e per noi irresolubile mistero del linguaggio e del pensiero di quel tempo. Se il risultato è coerente ora, doveva esserlo anche allora, perché, in definitiva, mulattieri siamo e per la strada camminiamo. Tutti, tanto i sapienti quanto gli ignoranti.

Ecco la piazza. Per la verità, aver definito questo posto una città è stata un'esagerazione. Un certo numero di case a pianterreno male allineate, un gruppo di bambini lì a giocare non si sa a cosa, degli adulti che si muovono come sonnambuli, degli asini che sembrano andare dove vogliono e non dove li conducono, qualsiasi città che si vanti di tal nome non si riconoscerà mai nello scenario primitivo che abbiamo davanti agli occhi, ci mancano le automobili e gli autobus, i segni del traffico, i semafori, i sottopassaggi, i cartelloni pubblicitari sulle facciate o sui tetti delle case, in poche parole, la modernità, la vita moderna. Insomma, tutto andrà avanti, il progresso, proprio come si finirà per riconoscere in seguito, è inevitabile, fatale come la morte. E la vita. Laggiù si vede un edificio in costruzione, una sorta di palazzo rustico a due piani, niente che s'assomigli a mafra, a versailles o a buckingham, in cui sfacchinano decine di muratori e aiutanti, questi ultimi trasportando mattoni sulle spalle, quelli collocandoli in file regolari. Caino non se ne intende affatto di lavori di alta o bassa muratura, ma se il suo destino lo sta aspettando qui, per quanto amaro possa essere, e questo si viene a sapere sempre quando ormai è troppo tardi per cambiare, non gli resta altro da fare che affrontarlo. Da uomo. Dissimulando alla meglio l'ansia e la fame che gli facevano tremare le gambe, si diresse verso il cantiere. Se per naturale disconoscenza gli operai lo avevano confuso sulle prime con uno di quegli sfaticati che in tutte le epoche dell'umanità si sono sempre attardati a guardare gli altri che lavorano, si accorsero subito dopo che quello lì era una delle tante vittime della crisi, un povero disoccupato in cerca di un'àncora di salvezza. Quasi senza che caino avesse bisogno di dire che cosa voleva, gli indicarono il sorvegliante che controllava il gruppo, Parla con lui, gli dissero. Caino andò, salì sul trespolo dell'osservatore e, dopo i saluti d'uso, disse che era alla ricerca di un lavoro. Il sorvegliante gli domandò, Che sai fare, tu, e caino rispose, Di quest'arte, niente, sono contadino, ma immagino che due braccia in più potranno essere di qualche utilità, Due braccia, no, dato che del mestiere di muratore non ne sai niente, ma due piedi, forse, Due piedi, si meravigliò caino, senza capire, Sì, due piedi, per pigiare l'argilla, Ah, Aspetta qui, vado a parlare con il capoccia. Stava già allontanandosi, ma girò ancora il capo per domandare, Come ti chiami, Abele, rispose caino. Il sorvegliante non si fece attendere a lungo, Puoi cominciare a lavorare subito, ti accompagno alla pigiatura dell'argilla, Quanto guadagnerò, domandò caino, I pigiatori guadagnano tutti quanti uguale, Sì, ma io, quanto guadagnerò, Questo non riguarda me, in ogni caso, se vuoi un buon consiglio, non domandarlo subito, non è ben visto, per prima cosa dovrai mostrare quanto vali, e ti dico anche di più, non dovresti domandare niente, aspetta che ti paghino, Se pensi che sia meglio, farò così, ma non mi sembra giusto, Qui non conviene essere impazienti, Di chi è la città, come si chiama, domandò caino, Come si chiama chi, la città o il suo signore, Tutti e due, La città, per così dire, non ha ancora un nome, c'è chi la chiama in un modo, chi in un altro, comunque sia questi luoghi sono noti come terra di nod, Già lo sapevo, me l'ha detto un vecchio che ho incontrato arrivando, Un vecchio con due pecore legate con una cordicella, domandò il sorvegliante, Sì, Di tanto in tanto si fa vedere, ma non vive qui, E il signore di qui, chi è, Il signore è una signora e il suo nome è lilith, Non ha un marito, domandò caino, Mi pare di aver sentito dire che si chiama noah, ma è lei che governa il gregge, disse il sorvegliante, e subito dopo annunciò, Eccoci alla pigiatura dell'argilla. Un gruppo di uomini con la tunica rimboccata e annodata sopra il ginocchio girava in tondo nello spesso strato di una mistura di argilla, paglia e sabbia, calpestandola con determinazione in modo da rendere l'impasto il più omogeneo possibile in mancanza di mezzi meccanici. Non era un lavoro per cui ci volesse molta scienza, solo gambe buone e solide e, possibilmente, uno stomaco rifocillato, il che, come sappiamo, non era il caso di caino. Disse il sorvegliante, Puoi entrare, devi soltanto fare quello che fanno gli altri, Sono tre giorni che non mangio, ho paura che le forze mi vengano a mancare e finisca per cadere in mezzo all'argilla, disse caino, Vieni con me, Non ho di che pagare, Pagherai dopo, vieni. Andarono insieme in una sorta di chiosco che c'era su un lato della piazza e dove si vendeva roba da mangiare. Per non sovraccaricare il racconto con particolari storici dispensabili tralasceremo di esaminare il modesto menu, di cui del resto non sapremmo identificare, almeno in alcuni casi, gli ingredienti. I cibi avevano l'aria di essere ben conditi e caino mangiava che era un piacere vederlo. Allora il sorvegliante domandò, Cos'è codesto segno che hai sulla fronte, non sembra naturale, Può darsi che non lo sembri, ma io ci sono nato, Dà l'impressione che qualcuno ti abbia marchiato, Anche il vecchio con le due pecore ha detto la stessa cosa, ma si sbagliava, proprio come te, Se lo dici tu, Lo dico e lo ripeterò tutte le volte che saranno necessarie, ma preferirei che mi lasciaste in pace, se fossi zoppo invece di avere questo segno, suppongo non me lo fareste notare continuamente, Hai ragione, non t'importunerò più, Non m'importuni affatto, tanto più che devo ringraziarti per il grande aiuto che mi stai dando, il lavoro, questo cibo che mi ha rinfrancato l'anima, e forse qualcos'altro ancora, Che cosa, Non ho dove dormire, Questo è facilmente risolvibile, ti rimedio una stuoia, e lì c'è una locanda, parlerò con il padrone, Non c'è dubbio che sei un buon samaritano, disse caino, Samaritano, domandò il sorvegliante incuriosito, e che sarebbe, Non lo so, mi è uscito di getto, senza pensarci, e non so neanche cosa significa, Hai più cose nella testa di quanto il tuo aspetto promette, Questa tunica lurida, Ti cedo una delle mie, e questa la userai solo per lavorare, Per quel po' che conosco di questo mondo non devono esserci molti uomini buoni, è stata una fortuna per me incontrarne uno qui, Hai finito, domandò il sorvegliante con un tono un po' secco, come se gli elogi lo infastidissero, Non ne posso più, non ricordo di aver mai mangiato tanto in vita mia, Adesso, al lavoro. Ritornarono al palazzo, stavolta attraversando la parte edificata precedente all'ampliamento in corso, e lì videro a un balcone una donna vestita con tutto ciò che doveva essere il lusso di allora e quella donna, che già in lontananza era parsa bellissima, li guardava assorta, come se non li vedesse, Chi è, domandò caino, È lilith, la padrona del palazzo e della città, speriamo non ti metta gli occhi addosso, speriamo, Perché, Si raccontano certe cose, Che cose, Si dice che sia una strega, capace di rendere folle un uomo con le sue fatture, Che fatture, domandò caino, Non lo so né voglio saperlo, non sono curioso, a me basta aver già visto due o tre uomini che hanno avuto commercio carnale con lei, E allora, Degli sventurati che facevano pena, degli spettri, ombre di quelli che erano stati, Devi essere matto se immagini che un pigiatore d'argilla possa dormire con la regina della città, Vuoi dire la padrona, Regina o padrona, tant'è, Si vede che non conosci le donne, sono capaci di tutto, del meglio e del peggio se così aggrada loro, sono talmente signore da disprezzare una corona per poi andare a lavare al fiume la tunica dell'amante o da travolgere tutto e tutti per arrivare a sedersi su un trono, Parli per esperienza, domandò caino, Osservo, niente di più, è per questo che sono sorvegliante, Eppure, un po' di esperienza dovrai pur avercela, Sì, un po', ma io sono un uccello dalle ali corte, di quelli che volano basso, E io, allora, che non ho mai spiccato il volo neanche una sola volta, Non conosci donna, domandò il sorvegliante, No, Di tempo nei hai tanto, sei ancora giovane. Avevano lì davanti la pigiatura dell'argilla. Aspettarono che gli uomini, più o meno schierati dal centro verso la periferia e che di tanto in tanto cambiavano di posto, quelli dentro all'esterno, quelli fuori all'interno, finissero di fare il giro e gli arrivassero davanti. Allora il sorvegliante disse, toccandolo su una spalla, Entra.

Come tutto, le parole hanno i loro che, i loro come e i loro perché. Alcune, solenni, ci interpellano con aria pomposa, dandosi importanza, come se fossero destinate a grandi cose, e, guarda un po', non erano altro che una leggera brezza che non sarebbe riuscita a muovere la pala di un mulino, altre, parole comuni, parole solite, parole di tutti i giorni, sarebbero arrivate ad avere, in definitiva, conseguenze che nessuno avrebbe osato prevedere, non è per questo che erano nate, eppure hanno finito per scuotere il mondo. Il sorvegliante disse, Entra, e fu come se avesse detto, Vai a pigiare l'argilla, vai a guadagnarti il pane, ma quella parola fu proprio la stessa che lilith, alcune settimane più tardi, sarebbe arrivata a pronunciare, lettera dopo lettera, quando mandò a chiamare l'uomo di cui le avevano detto che si chiamava abele, Entra. In una donna che ha fama di essere disinvolta nel procurare soddisfazione ai propri desideri, può sembrare strano che avesse impiegato settimane ad aprire la porta della sua camera, ma anche per questo c'è una spiegazione, come più avanti si vedrà. In questo periodo di tempo, caino non avrebbe potuto immaginare che idee stava covando quella donna quando, all'inizio accompagnata da un seguito di guardie, schiave e servitori vari, cominciò a farsi vedere alla pigiatura dell'argilla. Doveva probabilmente essere come quei possidenti rurali bendisposti che vanno a interessarsi del raccolto in base allo sforzo delle persone che lavorano per loro, incoraggiandole con la loro visita, durante la quale non verrà mai a mancare una parola di incitamento e a volte, nel migliore dei casi, una battuta cameratesca che, volente o nolente, farà ridere tutti quanti. Lilith non parlava, se non con il sorvegliante, al quale chiedeva informazioni sull'andamento del lavoro e, di quando in quando, apparentemente tanto per dire qualcosa, sulla provenienza dei lavoratori venuti da fuori, questo qui, per esempio, Non so da dove venga, signora, quando gliel'ho domandato, è naturale voler sapere con chi si ha a che fare, ha indicato in direzione di ponente e pronunciato due parole, non più di due, Che parole, Da là, signora, Non ha spiegato il motivo per cui ha lasciato la sua terra, No, signora, E come si chiama, costui, Abele, signora, mi ha detto di chiamarsi abele, È un buon lavoratore, Sì, signora, è uno di quelli che parlano poco, fa bene il suo dovere, E quel segno che ha sulla fronte, cos'è, Anch'io gliel'ho domandato e lui ha detto di averlo sin dalla nascita, Dunque, di questo abele che viene da ponente non sappiamo nulla, Non è l'unico, signora, a parte quelli che sono del posto e che più o meno conosciamo, il resto sono storie da raccontare, giramondo, fuggiaschi, per lo più gente di poche parole, può anche darsi che tra loro si confidino, ma neanche di questo si può avere la certezza, E quello col segno, come si comporta, Secondo me, agisce come se desiderasse non essere notato da nessuno, Io l'ho notato, mormorò lilith parlando fra sé e sé. Trascorsi alcuni giorni si presentò alla pigiatura dell'argilla un messo del palazzo che domandò a caino se avesse un mestiere. Caino gli rispose che in altri tempi faceva l'agricoltore ed era stato costretto a lasciare le sue terre per via dei cattivi raccolti. Il messo se ne andò con l'informazione e tornò in capo a tre giorni con un ordine che il pigiatore abele si presentasse immediatamente a palazzo. Così come si trovava, con la sua vecchia tunica macchiata e ormai divenuta quasi uno straccio, caino, dopo essersi ripulito alla meglio le gambe sporche di argilla, seguì il messo. Entrarono nel palazzo da una porticina laterale che dava in un vestibolo dove c'erano due donne lì ad aspettare. Si ritirò il messo per andare a riferire che il pigiatore d'argilla abele era sul posto, affidato alle schiave. Condotto da queste ultime in una stanza separata, caino fu spogliato e poi lavato da capo a piedi con acqua tiepida. Il contatto insistente e minuzioso delle mani femminili gli provocò un'erezione che non poté reprimere, ammesso che un'impresa del genere fosse possibile. Loro risero e, per tutta risposta, raddoppiarono le attenzioni verso quell'organo eretto che, fra altre risate, chiamavano flauto muto, e che d'improvviso gli si era rizzato fra le mani con l'elasticità di un serpente. Il risultato, viste le circostanze, era più che prevedibile, l'uomo eiaculò all'improvviso, a spruzzi successivi che, inginocchiate com'erano, le schiave ricevettero sul viso e in bocca. Un subitaneo barlume di lucidità illuminò la mente di caino, ecco il motivo per cui erano andati a prenderlo alla pigiatura dell'argilla, ma non certo per dare piacere a delle semplici schiave che altre soddisfazioni legate alla loro condizione avrebbero dovuto avere. Il prudente avvertimento del sorvegliante dei muratori era cascato nel vuoto, caino aveva messo il piede nella trappola verso cui la padrona del palazzo lo aveva spinto dolcemente, senza premura, quasi senza farlo notare, come se fosse distratta da una nuvola passeggera, lì a pensare ad altro. L'indugio del colpo finale era stato deliberato per dare tempo al seme lanciato nella terra come per caso di poter germogliare da solo e fiorire. Quanto al frutto, era chiaro che ormai non c'era da attendere a lungo perché venisse colto. Le schiave sembravano non aver fretta, adesso concentrate a estrarre dal pene di caino le ultime gocce che si portavano alle labbra sulla punta di un dito, una dopo l'altra, deliziate. Tutto finisce, però, tutto ha la sua conclusione, una tunica pulita coprì la nudità dell'uomo, è ora, parola più di tutte anacronistica in questa storia biblica, che sia condotto al cospetto della padrona del palazzo, che gli darà un destino. Il messo aspettava nel vestibolo, una semplice occhiata gli bastò per indovinare cos'era successo durante il bagno, ma non si scandalizzò, è che i messi, per motivi d'ufficio, vedono un mucchio di cose, non c'è niente che li stupisca. Inoltre, com'era noto già a quest'epoca, la carne è supinamente debole, e non tanto per colpa sua, giacché lo spirito, il cui dovere, teoricamente, sarebbe di alzare una barriera contro tutte le tentazioni, è sempre il primo a cedere, a issare la bandiera bianca della resa. Il messo sapeva dove stava per condurre il pigiatore d'argilla abele, dove e perché, ma non lo invidiava, al contrario dell'episodio lascivo delle schiave, che quello, sì, gli rimescolava il sangue. L'entrata a palazzo, stavolta, fu dalla porta principale perché qui non si fa niente di nascosto, se la padrona lilith ha scovato un nuovo amante, è meglio che si sappia subito, che non ci si costruisca attorno tutto un gioco di segretucci e maldicenze, tutta una rete di risolini e mormorii, come infallibilmente succederebbe in altre culture e civiltà. Il messo ordinò a una schiava che stava aspettando fuori dalla porta dell'anticamera, Vai a dire alla tua signora che siamo qui. La schiava andò e tornò con il messaggio, Vieni con me, disse a caino, e poi, rivolto al messo, Tu vai pure, non sei più necessario. Così vanno le cose, che nessuno s'insuperbisca se gli hanno affidato una missione delicata, la cosa più sicura è che dopo il lavoro gli dicano, Tu vai pure, non sei più necessario, e i messi lo sanno benissimo. Lilith era seduta su uno scranno di legno lavorato, indossava un abito che doveva valere una fortuna, un vestito che metteva in mostra con modestia minima una scollatura che lasciava vedere la curva dei seni e indovinare il resto. La schiava si era ritirata, erano soli. Lilith lanciò all'uomo uno sguardo di apprezzamento, parve gradire ciò che vide e infine disse, Starai sempre in questa anticamera, di giorno e di notte, hai lì la tua branda e uno sgabello su cui sederti, sarai, fin quando non cambierò idea, il mio custode, impedirai l'entrata nella mia camera a qualsiasi persona, chiunque essa sia, salvo le schiave che vengono a pulirla e riordinarla, Chiunque sia, signora, domandò caino senza alcuna intenzione apparente, Vedo che sei svelto di comprendonio, se stai pensando a mio marito, sì, neppure lui è autorizzato a entrare, ma lui già lo sa, non devi dirglielo, E se comunque una volta volesse entrare a tutti i costi, Sei un uomo robusto, saprai come impedirglielo, Non posso affrontare con la forza chi, in quanto signore della città, è signore della mia vita, Puoi, se io te lo ordino, Prima o poi le conseguenze ricadranno sulla mia testa, Qualcosa, giovanotto, a cui nessuno sfugge a questo mondo, ma se sei un vigliacco, se hai qualche dubbio o paura, il rimedio è facile, te ne torni all'argilla, Non ho mai pensato che pigiare l'argilla fosse il mio destino, E anch'io non so se sarai, per sempre, il custode della camera di lilith, A me basta esserlo in questo momento, signora, Ben detto, solo per queste parole già ti meriteresti un bacio. Caino non rispose, stava riconsiderando con attenzione la voce del sorvegliante dei muratori, Stai attento, si dice che sia una strega, capace di far impazzire un uomo con le sue fatture. A che pensi, domandò lilith, A niente, signora, davanti a te non riesco a pensare, ti guardo e ti ammiro, nient'altro, Forse ti meriti un secondo bacio, Sono qui, signora, Ma io non ancora, custode. Si alzò, si allisciò le pieghe del vestito facendosi scivolare lentamente le mani sul corpo, come se si stesse accarezzando, prima i seni, poi il ventre, successivamente l'inizio delle cosce dove si trattenne, e tutto questo lo fece mentre guardava l'uomo fissamente, senza espressione, come una statua. Le schiave, libere da freni morali, avevano riso di pura contentezza, quasi con innocenza, mentre si divertivano a maneggiare il corpo dell'uomo, avevano partecipato a un gioco erotico di cui conoscevano tutti i precetti e le infrazioni, mentre qui, in questa anticamera dove non penetra alcun suono esterno, lilith e caino sembrano due schermitori che affinano le spade per un duello mortale. Lilith non c'è più, era entrata in camera e aveva chiuso la porta, caino si guardò intorno e non trovò altro rifugio se non lo sgabello che gli era riservato. Andò a sedervisi, all'improvviso spaventato alla prospettiva dei giorni futuri. Si sentiva prigioniero, lei stessa lo aveva detto, Starai qui giorno e notte, solo che non aveva aggiunto, Sarai, quando io lo deciderò, il mio toro da monta, un'espressione quest'ultima che sembrerà non solo volgare ma anche male applicata al caso, dato che, teoricamente, la monta è roba da animali quadrupedi, non da esseri umani, ma che invece è applicata benissimo perché questi sono già stati altrettanto quadrupedi di quelli, in quanto sappiamo tutti che quelle che oggi chiamiamo braccia e gambe furono per lungo tempo tutte gambe, finché a qualcuno non venne in mente di dire ai futuri uomini, Alzatevi che ormai è ora. Caino si domanda pure se non sarà il caso di fuggire prima che sia troppo tardi, ma è una domanda oziosa, lo sa fin troppo bene che non fuggirà, in quella camera c'è una donna che sembra godere a lanciargli provocazioni una dopo l'altra, ma che uno di questi giorni gli dirà, Entra, e lui entrerà, e, entrando, passerà da una prigione all'altra. Non è per questo che sono nato, pensa caino. Non era nato neanche per uccidere il proprio fratello, e malgrado ciò lo aveva lasciato cadavere in mezzo alla campagna con gli occhi e la bocca coperti di mosche, proprio lui, abele, che pure non era nato per questo. Caino ci pensa e ci ripensa e non trova spiegazione, si veda questa donna che, malgrado il suo morboso desiderio, com'è facile capire, si compiace di continuare a rinviare il momento di concedersi, parola peraltro altamente inadeguata, perché lilith, quando finalmente aprirà le gambe per farsi penetrare, non si starà concedendo, bensí starà facendo in modo di divorare l'uomo al quale ha detto, Entra.

5.

Caino ormai è entrato, ha dormito nel letto di lilith e, per quanto ci sembri incredibile, è stata proprio la sua mancanza di esperienza in fatto di sesso che gli ha impedito di annegare nel vortice di lussuria che in un solo istante ha rapito la donna e l'ha fatta esplodere e urlare come un'ossessa. Digrignava i denti, mordeva il guanciale, poi la spalla dell'uomo, del quale ha succhiato il sangue. Diligente, caino s'impegnava sul corpo di lei, perplesso davanti a quei movimenti e quelle grida sregolate, mentre, al tempo stesso, un altro caino che non era lui osservava la scena con curiosità, quasi con freddezza, l'agitazione incontenibile degli arti, le contorsioni del corpo di lei e del proprio corpo, le posizioni che la copula stessa sollecitava o imponeva, fino all'acme degli orgasmi. Non dormirono molto quella prima notte i due amanti. Né la seconda, né la terza, né tutte le altre che seguirono. Lilith era insaziabile, le forze di caino parevano inesauribili, insignificante, quasi nullo, l'intervallo tra due erezioni e rispettive eiaculazioni, si sarebbe davvero potuto dire che si trovavano, sia l'uno che l'altra, nel paradiso dell'allah di là da venire. Una di quelle notti noah, il signore della città e marito di lilith, al quale uno schiavo di fiducia aveva portato la notizia che lì si verificava qualcosa di straordinario, entrò nell'anticamera. Non era la prima volta che lo faceva. Marito consenziente quant'altri mai, noah, in tutto il tempo, come si suole dire, di vita in comune, era stato incapace di dare un figlio alla donna ed era stata proprio la consapevolezza di quello smacco continuo, e fors'anche la speranza che lilith finisse per restare incinta di un amante occasionale e finalmente gli desse un figlio da poter chiamare erede, che lo aveva portato ad adottare, quasi senza accorgersene, quell'atteggiamento di condiscendenza coniugale che avrebbe finito, col tempo, per divenire una comoda maniera di vivere, turbata solo dalle rarissime volte in cui lilith, mossa da quella che immaginiamo sia la tanto decantata compassione femminile, decideva di andare nella camera del marito per un fugace e insoddisfacente contatto che non impegnava nessuno dei due, né lui a richiedere più di quanto gli era dato, né lei a riconoscergli un tale diritto. Mai, però, lilith permise a noah di entrare nella sua camera. In questo momento, nonostante la porta chiusa, la veemenza delle effusioni erotiche dei due partner colpiva il pover'uomo come uno schiaffo dopo l'altro, dando luogo, in lui, alla nascita subitanea di un sentimento che non aveva provato prima, un odio smisurato per il cavaliere che montava la cavalla lilith e la faceva nitrire come non mai. Lo uccido, disse noah fra sé e sé, senza pensare alle conseguenze del gesto, per esempio, come avrebbe reagito lilith se le avessero ucciso l'amante preferito. Li uccido, insisteva noah, ampliando ora il suo proposito, uccido lui e uccido lei. Sogni, fantasie, deliri, noah non ucciderà nessuno ed egli stesso avrà la fortuna di sfuggire alla morte senza per ciò fare nulla. Dalla camera ora non arriva più alcun suono, ma ciò non vuol dire che la festa dei corpi sia terminata, i musicisti stanno solo prendendosi un po' di riposo, non tarderà che l'orchestra attacchi il ballo seguente, quello in cui la spossatezza farà seguito, fino alla notte seguente, al violento parossismo finale. Noah si è ormai ritirato, portando con sé i suoi progetti di vendetta, che accarezza come se coccolasse il corpo inaccessibile di lilith. Vedremo come andrà a finire.

Dopo quanto si è descritto, è naturale che a qualcuno venga in mente di domandare se caino non sarà stanco, spremuto fino al midollo dall'insaziabile amante. Stanco lo è, spremuto pure, e pallido come se fosse sul punto in cui la vita sta per estinguersi. È pur vero che il pallore non è altro che la conseguenza della mancanza di sole, della privazione della benefica aria aperta che fa crescere le piante e ci indora la pelle. In ogni modo, chi avesse visto quest'uomo prima che fosse entrato nella camera di lilith, perennemente diviso tra l'anticamera e la copula, senza dubbio direbbe, ripetendo, senza saperlo, le parole del sorvegliante dei muratori, È un'ombra, una vera e propria ombra. Proprio di questo finì per rendersi conto la principale responsabile della situazione, Hai una brutta cera, gli disse, Sto bene, rispose caino, Sarà, ma la tua faccia dice il contrario, Non ha importanza, Sì che ce l'ha, d'ora in poi farai una passeggiata tutti i giorni, porterai con te uno schiavo perché nessuno t'importuni, voglio vederti con la faccia che avevi quando ti ho notato alla pigiatura dell'argilla, Non ho altra volontà se non la tua, signora. Lo schiavo accompagnatore fu scelto personalmente da lilith, ma quello che lei non sapeva è che si trattava di un agente doppio che, sebbene al suo servizio dal punto di vista amministrativo, riceveva ordini da noah. Avremo dunque da temere il peggio. Nelle prime uscite la passeggiata non fu turbata da alcun incidente, lo schiavo sempre un passo dietro caino, sempre attento a ciò che lui diceva, suggerendo il percorso che pensava fosse il migliore fuori dalle mura della città. Non c'erano motivi di preoccupazione. Finché un giorno le preoccupazioni si presentarono tutte insieme nella figura di tre uomini che li aggredirono lungo la strada e con i quali, come caino si accorse subito, lo schiavo traditore era in combutta. Che volete, domandò caino. Gli uomini non risposero. Erano tutti armati, di spada quello che pareva essere il capo, di pugnali gli altri. Che volete, domandò nuovamente caino. La risposta gli fu data dal gladio improvvisamente sguainato e puntato contro il suo petto, Ucciderti, disse l'uomo, e avanzò,

Perché, domandò caino, Perché i tuoi giorni sono scaduti, Non potrai uccidermi, disse caino, il marchio che ho sulla fronte non te lo permetterà, Che marchio, domandò l'uomo che, a quanto pare, era miope, Questo qui, indicò caino, Ah, sì, ora lo vedo, non vedo però come codesto segno possa evitare che io ti uccida, Non è un segno, ma un marchio, E chi te l'ha fatto, sei stato tu, domandò l'altro, No, il signore, Che signore, Il signore dio. L'uomo scoppiò in una risata a cui gli altri, compreso lo schiavo infedele, si unirono in vivace coro. Coloro che ridono piangeranno, disse caino, e rivolgendosi al capo del gruppo, Hai famiglia, domandò, Perché vuoi saperlo, Hai figli, moglie, padre e madre vivi, altri parenti, Sì, ma, Non avrai bisogno di uccidermi perché subiscano il castigo, lo interruppe caino, la spada che hai in mano li ha già condannati, parola del signore, Non credere di salvarti con queste menzogne, urlò l'uomo e avanzò con la spada in resta. All'istante l'arma si trasformò in un serpente che l'uomo si scrollò dalla mano terrorizzato, Ecco, disse caino, hai avuto la sensazione di un serpente ed era una spada. Si chinò e afferrò l'arma per l'impugnatura, Potrei ucciderti proprio adesso, e nessuno verrebbe in tuo soccorso, disse, i tuoi compagni sono fuggiti, il traditore che mi accompagnava pure, Perdonami, implorò l'uomo mettendosi in ginocchio, Solo il signore potrebbe perdonarti se volesse, non io, vattene, avrai a casa il compenso per la tua viltà. L'uomo si allontanò a capo chino, piangendo, disperandosi, mille volte pentito di avere scelto la professione di bandito di strada nella variante assassino. Ripetendo i passi che aveva fatto la prima volta, caino tornò in città. Proprio come allora, svoltando un angolo si trovò davanti il vecchio con le due pecore legate con una cordicella. Sei cambiato molto, non sembri affatto il vagabondo che veniva da occidente né un pigiatore d'argilla, disse questi, Sono custode, rispose caino, e proseguì per la sua strada, Custode di che porta, domandò il vecchio in un tono che voleva essere di scherno, ma che suonava di stizza, Se lo sai, non ti affannare a domandarlo, Mi mancano i particolari, e il succo sta proprio nei particolari, Ti ci puoi impiccare, la corda già ce l'hai, concluse caino, sarà il modo migliore per non rivederti più. Il vecchio urlò ancora, Mi vedrai sino alla fine dei tuoi giorni, I miei giorni non avranno fine, rispose caino ormai lontano, intanto bada che le tue pecore non si mangino la cordicella, È per questo che ci sono io, perché loro non pensano ad altro.

Lilith non era in camera, doveva trovarsi su in terrazza, nuda com'era suo solito, a prendere il sole. Seduto sul suo unico sgabello, caino fece un bilancio, un esame di quanto era successo. Era evidente che lo schiavo lo aveva condotto appositamente su quella strada incontro ai banditi che facevano la posta, qualcuno, dunque, doveva aver elaborato il piano per porre fine alla sua vita. Immaginare chi fosse quello che oggi potremmo designare l'autore intellettuale del fallito attentato non era affatto difficile. Noah, disse caino, è stato lui, nessun altro a palazzo e in città avrebbe interesse alla mia scomparsa. Fu in questo momento che lilith entrò nell'anticamera, È durata poco la tua passeggiata, disse. Una sottile patina di sudore le faceva brillare la pelle delle spalle, era appetitosa come una melagrana matura, come un fico cui si fosse ormai crepata la buccia e lasciasse fuoriuscire la prima goccia di miele. A caino venne anche in mente di trascinarla a letto, ma rinunciò all'idea, c'erano in questo momento argomenti seri da trattare, magari più tardi. Hanno tentato di uccidermi, disse, Ucciderti, chi, domandò lilith, sussultando, Lo schiavo che hai mandato con me e certi banditi assoldati, Che cosa è capitato, raccontami, Lo schiavo mi ha condotto su una strada fuori città, l'agguato è avvenuto lì, Ti hanno fatto del male, ti hanno ferito, No, Come sei riuscito a liberartene, domandò lilith, Non mi si può uccidere, disse caino serenamente, Sarai tu l'unica persona a crederlo a questo mondo, Infatti. Ci fu un silenzio che caino interruppe, Non mi chiamo abele, disse, il mio nome è caino, Mi piace più questo dell'altro, disse lilith facendo uno sforzo per mantenere la conversazione su un tono leggero, proposito che caino annullò un attimo dopo, Abele era il nome di mio fratello, che ho ucciso perché il signore mi aveva disdegnato a suo favore, ho preso il suo nome per celare la mia identità, Qui non ci sarebbe importato niente che tu fossi caino o abele, la notizia del tuo crimine non ci è mai arrivata, Sì, oggi lo comprendo, Raccontami allora com'è andata, Non hai paura di me, non ti ripugno, domandò caino, Sei l'uomo che ho scelto per il mio letto e con cui mi coricherò fra poco. Allora caino aprì l'arca dei segreti e riferì il drammatico accaduto con tutti i particolari, non dimenticando le mosche sugli occhi e sulla bocca di abele, come pure le parole pronunciate dal signore, l'enigmatico impegno da lui assunto di proteggerlo da una morte violenta, Non domandarmi, disse caino, perché lo abbia fatto, non me l'ha detto e non credo sia cosa da potersi spiegare, A me basta che tu sia vivo e tra le mie braccia, disse lilith, Vedi in me un criminale che non si potrà mai perdonare, domandò caino, No, rispose lei, vedo in te un uomo che il signore ha offeso, e, adesso che so come ti chiami realmente, andiamo a letto, potrei ardere di desiderio anche qui se non vieni in mio soccorso, eri l'abele che ho conosciuto fra le lenzuola, ora sei il caino che devo ancora conoscere. Quando il delirio delle ripetute e svariate penetrazioni fece posto alla lassità, all'abbandono totale dei corpi, lilith disse, È stato noah, Credo di sì, credo sia stato noah, convenne caino, non trovo chi altri a palazzo e in città potesse desiderare, tanto quanto lui, di vedermi morto, Quando ci alzeremo, disse lilith, lo convocherò qui, sentirai ciò che ho da dirgli. Dormirono un po' per dare soddisfazione alle membra stanche, si svegliarono quasi contemporaneamente e lilith, già in piedi, disse, Rimani pure a letto, lui non entrerà. Chiamò una schiava che l'aiutasse a vestirsi e dopo, tramite la stessa schiava, mandò un messaggio a noah che venisse a parlarle. Si sedette nell'anticamera in attesa e, quando il marito entrò, disse senza preamboli, Farai uccidere lo schiavo che mi hai dato per accompagnare caino nella sua passeggiata, Chi è caino, domandò noah sorpreso dalla novità, Caino era abele, adesso è caino, e ucciderai anche gli uomini che hanno partecipato all'imboscata, Dov'è caino, dato che il suo nome ormai è questo, In salvo, nella mia camera. Il silenzio divenne palpabile. Alla fine, noah disse, Non ho avuto niente a che vedere con ciò che dici sia accaduto, Attenzione, noah, mentire è la peggiore delle vigliaccherie, Non sto mentendo, Sei vigliacco e stai mentendo, sei stato tu a istruire lo schiavo su quello che avrebbe dovuto fare, e dove e come, proprio lo stesso schiavo che, ci scommetto, ti è servito per spiare le mie azioni, occupazione in verità superflua perché ciò che faccio, io lo faccio alla luce del giorno, Sono tuo marito, dovresti rispettarmi, Può darsi che tu abbia ragione, realmente dovrei rispettarti, Allora che aspetti, domandò noah fingendo un'irritazione che, terrorizzato per l'accusa, era lungi dal sentire, Non sto aspettando niente, semplicemente non ti rispetto, Sono un cattivo amante, non ti ho dato il figlio che volevi, è questo, domandò lui, Avresti potuto essere un amante di prima categoria, avresti potuto darmi non uno, ma dieci figli, e comunque non ti rispetterei, Perché, Ci penserò sopra, appena avrò scoperto i motivi per cui non nutro il minimo rispetto nei tuoi confronti ti manderò a chiamare, prometto che sarai il primo a conoscerli, e ora ti chiedo di ritirarti, sono esausta, ho bisogno di riposare. Noah si stava ormai allontanando, ma lei soggiunse ancora, Un'altra cosa, quando avrai acciuffato quel maledetto traditore, e spero non tarderai troppo, è un consiglio che ti sto dando, avvisami perché voglio venire ad assistere alla sua morte, gli altri non mi interessano, Lo farò, disse noah e mise il piede sulla soglia della porta, ancora in tempo per udire le ultime parole della moglie, E, se ci sarà tortura, voglio essere presente. Rientrata nella camera, lilith domandò a caino, Hai sentito, Sì, Che te n'è parso, Non c'è dubbio, è lui che ha ordinato di uccidermi, non è stato neanche capace di reagire come avrebbe fatto un innocente. Lilith si mise a letto, ma non si avvicinò a caino. Se ne stava sdraiata supina, con gli occhi ben aperti lì a fissare il soffitto, e all'improvviso disse, Mi è venuta un'idea, Quale, Uccidere noah, È una follia, uno sproposito senza capo né coda, protestò caino, scaccia quest'assurdità dal tuo animo, ti prego, Perché un'assurdità, ci libereremmo di lui, ci sposeremmo, tu saresti il nuovo signore della città e io la tua regina e la tua schiava preferita, quella che bacerebbe il suolo ovunque tu passassi, quella che, se fosse necessario, prenderebbe tra le mani le tue feci, E chi dovrebbe ucciderlo, Tu, No, lilith, non me lo chiedere, non me l'ordinare, ho già la mia dose di assassini, Non lo faresti per me, non mi ami, domandò lei, ti ho consegnato il mio corpo perché ne godessi a dismisura, perché ne usufruissi senza regole né proibizioni, ti ho aperto le porte del mio spirito prima sprangate, e ti rifiuti di fare qualcosa che ti chiedo e che ci arrecherebbe la piena libertà, La libertà, sì, e anche il rimorso, Non sono donna da rimorsi, questa è roba per deboli, per minorati, io sono lilith, E io sono solo un caino qualunque venuto da lontano, uno che ha ucciso il proprio fratello, un pigiatore d'argilla che, senza aver fatto niente per meritarlo, ha avuto la fortuna di dormire nel letto della donna più bella e più focosa del mondo, che ama, vuole e desidera in ogni poro del proprio corpo, Dunque, non uccideremo noah, domandò lilith, Se ci tieni tanto, ordinalo a uno schiavo, Non disprezzo tanto noah al punto di farlo uccidere da uno schiavo, Schiavo lo sono anch'io e vorresti che lo uccidessi, Sarebbe diverso, non è schiavo colui che si corica nel mio letto, o forse lo è, ma di me e del mio corpo, E perché non lo uccidi tu, domandò caino, Credo che, nonostante tutto, non ne sarei capace, Uomini che uccidono donne se ne vedono tutti i giorni, se lo uccidessi tu forse inaugureresti una nuova epoca, Che siano altre a farlo, io sono lilith, la pazza, la dissennata, ma i miei errori e i miei crimini si fermano qui, Allora lasciamolo vivere, gli basterà già il castigo di sapere che noi sappiamo che voleva uccidermi, Abbracciami, calpestami sotto i tuoi piedi, pigiatore d'argilla. Caino l'abbracciò, ma entrò dentro di lei delicatamente, senza violenza, con una dolcezza inattesa che quasi le strappò le lacrime. Due settimane dopo lilith annunciò di essere incinta.

Chiunque avrebbe detto che la pace sociale e la pace domestica regnavano infine a palazzo, coinvolgendo tutti nello stesso fraterno amplesso. Non era così, trascorsi alcuni giorni caino era giunto alla conclusione che, adesso che lilith era in attesa di un figlio, il suo tempo si era concluso. Quando il bimbo fosse venuto al mondo sarebbe stato per tutti il figlio di noah, e se all'inizio non sarebbero venuti a mancare i più giustificati sospetti e mormorii, il tempo, questa grande livella, si sarebbe incaricato di limare gli uni e gli altri, senza contare che i futuri storici si sarebbero presi cura personalmente di eliminare dalla cronaca della città qualsiasi allusione a un certo pigiatore d'argilla di nome abele, o caino, o come diavolo si chiamasse, un dubbio, questo, che già di per sé sarebbe stato considerato motivo sufficiente per condannarlo all'oblio, in quarantena definitiva, secondo quanto supponevano loro, nel limbo di quegli accadimenti che, per la tranquillità delle dinastie, non è conveniente rispolverare. Questo nostro racconto, sebbene non abbia niente di storico, dimostra fino a qual punto fossero in equivoco o malintenzionati i suddetti storici, caino è esistito per davvero, ha dato un figlio alla moglie di noah e adesso ha un problema da risolvere, come informare lilith che è suo desiderio partire. Confidava che la condanna proferita dal signore, Andrai errante e smarrito nel mondo, avrebbe potuto convincerla ad accettare la sua decisione di partire. Alla fin fine, fu meno difficile di quanto si aspettasse, fors'anche perché quel bimbo, formato non più che da un pugno di cellule titubanti, esprimeva già un volere e una volontà, il cui primo effetto era stato ridurre la folle passione dei genitori a un normale episodio di letto al quale, come già sappiamo, la storia ufficiale non dedicherà neanche una riga. Caino chiese a lilith un giumento e lei diede ordini perché gli fosse consegnato il migliore, il più docile, il più robusto che ci fosse nelle stalle del palazzo. E si era a questo punto quando corse in città la notizia che lo schiavo traditore e i suoi compari erano stati scoperti e acciuffati. Fortunatamente per le creature sensibili, quelle che distolgono sempre lo sguardo dagli spettacoli scomodi, di qualunque natura essi siano, non ci furono né interrogatori né torture, ciò che forse era dovuto alla gravidanza di lilith, giacché, secondo l'opinione di qualificate autorità locali, sarebbero potuti essere di malaugurio per il futuro del bimbo in gestazione, non solo il sangue che inevitabilmente si sarebbe versato, ma anche le urla raccapriccianti dei torturati. Dissero le tali autorità, per lo più levatrici di lunga esperienza, che i bebè, nelle pance delle mamme, percepiscono tutto quanto capita qua fuori. Il risultato fu una sobria esecuzione per impiccagione davanti a tutta la popolazione della città, a mo' di avvertimento, Attenzione, questo è il minimo che può capitare a voi tutti. Da un balcone del palazzo presenziarono all'atto punitivo noah, lilith e caino, quest'ultimo in qualità di vittima della fallita aggressione. Fu notato che, contrariamente a ciò che avrebbe determinato il protocollo, non era noah a occupare il centro del gruppetto, bensì lilith, che in tal modo separava il marito dall'amante, come a dire che, sia pur non amando lo sposo ufficiale, gli sarebbe rimasta legata perché così pareva desiderare l'opinione pubblica e richiedevano gli interessi della dinastia, e che, se era obbligata dal crudele destino, Andrai errante e smarrito nel mondo, a lasciar partire caino, avrebbe continuato a essere unita a lui dalla sublime memoria del corpo, dal ricordo incancellabile delle splendide ore che aveva trascorso insieme a lui, questo una donna non lo dimentica mai, non come gli uomini, ai quali scivola tutto addosso. I cadaveri dei facinorosi rimarranno appesi proprio lì dove si trovano finché non ne restino altro che delle ossa, giacché la carne loro è maledetta, e la terra, qualora vi fossero sepolti, si rivolterebbe in trance fino a vomitarli, una e più volte. Quella notte, lilith e caino dormirono insieme per l'ultima volta. Lei pianse, lui l'abbracciò e pianse a sua volta, ma le lacrime non durarono a lungo, di lì a un attimo la passione erotica si impossessava di loro e, orientandoli, nuovamente li disorientò fino al delirio, fino all'assoluto, come se il mondo non fosse altro che questo, due amanti che si divoravano a vicenda senza fine, finché lilith disse, Uccidimi. Sì, forse sarebbe dovuto essere questo il finale logico della storia degli amori di caino e lilith, ma lui non la uccise. La baciò lungamente sulle labbra, poi si alzò, la guardò ancora una volta e andò a concludere la notte nel letto del custode.

6.

Malgrado l'oscurità cinerea dell'albeggiare, si vedeva che gli uccelli, non le amabili creature alate che ormai non avrebbero tardato molto a intonare al sole i loro canti, ma quei bruti volatili rapaci, quelli carnivori che vagano da un patibolo all'altro, avevano già iniziato il loro lavoro di nettezza urbana nelle parti esposte degli impiccati, i visi, gli occhi, le mani, i piedi, la mezza gamba che la tunica non arrivava a coprire. Due civette, allarmate dal rumore delle zampe del giumento, si alzarono in volo dalle spalle dello schiavo, con un tenue fruscio setoso percepibile solo a orecchi esperti. Si infilarono a volo radente in una viuzza stretta, a fianco del palazzo, e scomparvero. Caino spronò il giumento con i calcagni, attraversò la piazza, chiedendosi se anche adesso avrebbe incontrato il vecchio con le due pecore legate con una cordicella, e, per la prima volta, si domandò chi mai potesse essere quell'impertinente personaggio, Forse era il signore, ne sarebbe anche capace, con quel suo gusto di apparire all'improvviso da qualche parte, mormorò. Non voleva pensare a lilith. Quando nel suo desolato letto di custode si era svegliato da un sonno inquieto, continuamente interrotto, un repentino impulso lo aveva quasi spinto a entrare nella stanza per un'ultima parola di commiato, per un ultimo bacio, e magari per quant'altro sarebbe potuto succedere. Era ancora in tempo. Nel palazzo dormono, soltanto lilith sarà di certo sveglia, nessuno si sarebbe accorto della rapida incursione, o forse le due schiave che gli avevano schiuso le porte del paradiso al suo arrivo, e loro avrebbero detto, sorridendo, Come ti capiamo bene, abele. Dopo avere svoltato al primo incrocio non avrebbe più visto il palazzo. Il vecchio delle pecore non c'era, il signore, se era lui, gli dava carta bianca, ma né una mappa delle strade, né un passaporto, né raccomandazioni di alberghi e ristoranti, un viaggio come quelli che si facevano anticamente, alla ventura, o, come si diceva allora, come vuole iddio. Caino spronò di nuovo il giumento e ben presto si ritrovò in aperta campagna. La città era ormai solo una macchia grigiastra che, a poco a poco, con la distanza che via via aumentava, nonostante il passo contenuto dell'asino, sembrava sprofondare nel terreno. Il paesaggio era secco, arido, senza un filo d'acqua in vista. Davanti a questa desolazione era inevitabile che caino rammentasse la dura camminata fatta quando il signore lo aveva scacciato dalla fatidica valle dove il povero abele era rimasto per sempre. Senza niente da mangiare, senza un filo d'acqua tranne quella che, per miracolo, venne giù finalmente dal cielo quando le forze dell'anima stavano ormai per esaurirsi e le gambe minacciavano di afflosciarsi a ogni passo. Stavolta, almeno, il cibo non gli mancherà, le bisacce sono piene fino all'orlo, un pensiero amorevole di lilith che, a quanto pare, non ci si è dimostrata una padrona di casa così pessima come si sarebbe potuto pensare dai suoi costumi dissoluti. Il male è che tutt'intorno nel paesaggio non si vede neppure un'ombra dove proteggersi. A metà mattina il sole è già fuoco puro e l'aria è tutta un tremolio che ci fa dubitare di ciò che gli occhi vedono. Caino disse, Meglio, così non dovrò smontare per mangiare. La strada saliva e saliva, e il giumento, che a ben vedere le cose di asino non ha niente, avanzava a zigzag, ora di qua, ora di là, si suppone che dovesse avere appreso quel geniale trucco dalle mule, che in questa materia di ascensioni alpine la sanno lunga. Qualche altro passo e la salita finì.

E allora, oh sorpresa, oh stupore, oh stupefazione, il paesaggio che caino aveva ora davanti a sé era completamente diverso, verde di tutti i verdi mai visti, con alberi frondosi e campi coltivati, riflessi d'acqua, una temperatura mite, nuvole bianche che fluttuavano nel cielo. Si guardò indietro, la stessa aridità di prima, la stessa secchezza, lì non era cambiato niente. Era come se ci fosse una frontiera, una linea lì a separare due paesi, O due tempi, disse caino senza la consapevolezza di averlo detto, proprio come se qualcuno lo stesse pensando al posto suo. Alzò il capo per guardare il cielo e vide che le nuvole in movimento dalla direzione da cui siamo venuti si trattenevano in verticale al suolo e subito dopo scomparivano per artifici sconosciuti. C'è da tenere in considerazione il fatto che caino è male informato su questioni cartografiche, si potrebbe addirittura dire che questo, in un certo qual modo, è il suo primo viaggio all'estero, dunque è naturale che sia sorpreso, altra terra, altra gente, altri cieli e altri costumi. Sì, tutto questo può essere corretto, ma quello che nessuno mi spiega è il motivo per cui le nuvole non possono passare da là a qua. A meno che, dice la voce che parla per bocca di caino, il tempo sia un altro, che questo paesaggio curato e lavorato dalla mano dell'uomo fosse stato, in epoche passate, altrettanto sterile e desolato della terra di nod. Allora ci troviamo nel futuro, ci domandiamo noi, che però abbiamo già visto dei film che ne trattano, e libri pure. Sì, questa è la formula comune per spiegare qualcosa tipo quello che sembra esser successo qui, il futuro, diciamo noi, e tiriamo un sospiro di sollievo, ormai ci abbiamo messo il cartellino, l'etichetta, ma, a nostro parere, ci capiremmo meglio se lo definissimo altro presente, perché la terra è la stessa, sì, ma i suoi presenti continuano a variare, alcuni sono presenti passati, altri presenti a venire, è semplice, lo capirà chiunque. Chi dà segni della gioia più profonda è il giumento. Nato e cresciuto in terre dove il terreno è arido, alimentato a paglia e cardi, con l'acqua razionata o quasi, la visione che gli si offriva rasentava il sublime. Peccato che non ci fosse lì nessuno in grado di interpretare i movimenti delle orecchie, questa specie di telegrafo sventolante di cui la natura lo aveva dotato, senza che la fortunata bestia potesse immaginare che sarebbe arrivato il giorno in cui avrebbe voluto esprimere l'ineffabile, e l'ineffabile, come sappiamo, è proprio ciò che si trova al di là di qualsiasi possibilità di espressione. Felice lo è anche caino, che già sogna una colazione in campagna, tra verzure, fugaci rivoletti d'acqua e uccellini lì a intonare la loro sinfonia tra i rami. A destra della strada, laggiù, si vede un filare di alberi di una certa dimensione che promette un'ombra e una siesta tra le migliori. In quella direzione spronò caino il giumento. Il posto sembrava inventato apposta per rinfrescare i viaggiatori stanchi e le rispettive bestie da soma. Parallela agli alberi c'era una siepe di arbusti che occultavano la stretta carrareccia che saliva verso il picco della collina. Alleviato dal peso delle bisacce, il giumento si era dedicato alle delizie dell'erba fresca e di qualche rustico fiore qua e là, dei sapori che non gli erano mai passati per la gola. Caino scelse tranquillamente il menu e mangiò proprio lì, seduto a terra, circondato da innocenti uccellini che piluccavano le briciole, mentre i ricordi dei bei momenti vissuti tra le braccia di lilith tornavano a scaldargli il sangue. Le palpebre avevano già cominciato a pesargli quando una voce giovanile, da ragazzo, lo fece sussultare, Padre, chiamò il ragazzo, e poi un'altra voce, da adulto di una certa età, domandò, Che vuoi, isacco, Abbiamo portato fin qui il fuoco e la legna, ma dov'è la vittima per il sacrificio, e il padre rispose, Provvederà il signore, troverà il signore la vittima per il sacrificio. E continuarono a risalire il pendio. Orbene, intanto che loro salgono lemme lemme, conviene sapere com'è iniziata questa storia per comprovare una volta ancora come il signore non sia gente di cui potersi fidare. Circa tre giorni prima, non più tardi, il signore aveva detto ad abramo, padre del ragazzino che trasporta sulle spalle il fascio di legna, Porta con te il tuo unico figlio, isacco, al quale vuoi tanto bene, recati nella regione del monte moria e offrimelo in sacrificio su uno dei monti che ti indicherò. Il lettore ha letto bene, il signore ha ordinato ad abramo di sacrificargli proprio il figlio, e il tutto con la massima semplicità, come chi chiede un bicchiere d'acqua quando ha sete, il che significa che era una sua abitudine, e ben radicata. La cosa logica, la cosa naturale, la cosa semplicemente umana sarebbe stata che abramo avesse mandato il signore a cagare, ma non è andata così. L'indomani mattina lo snaturato padre si alzò presto per bardare l'asino, preparò la legna per il fuoco del sacrificio e s'incamminò verso il luogo che il signore gli aveva indicato, portando con sé due servitori e suo figlio isacco. Il terzo giorno di viaggio, abramo avvistò in lontananza il suddetto luogo. Disse allora ai servitori, Voi restate qui con l'asino che io vado laggiù con il bambino, per adorare insieme il signore e poi torneremo da voi. Vale a dire che, oltre che figlio di puttana quanto il signore, abramo era decisamente un bugiardo, pronto a ingannare chiunque con la sua lingua biforcuta che, in questo caso, secondo il dizionario privato del narratore di questa storia, significa traditrice, perfida, fraudolenta, sleale e altre meraviglie simili. Giunto dunque nel luogo di cui il signore gli aveva parlato, abramo costruì un altare e vi depose sopra la legna. Poi legò il figlio e lo mise sull'altare, impugnò il coltello per sacrificare il povero ragazzo e già si accingeva a tagliargli la gola quando sentì che qualcuno gli afferrava il braccio, mentre una voce urlava, Che vuoi fare, vecchio malvagio, uccidere tuo figlio, bruciarlo, è di nuovo la stessa storia, si comincia con un agnello e si finisce per assassinare colui che più si dovrebbe amare, È il signore che l'ha ordinato, è il signore che l'ha ordinato, si dibatteva abramo, Taci, o se qui c'è qualcuno che uccide quello sono io, slega subito il ragazzo, inginocchiati e chiedigli perdono, Chi sei tu, Sono caino, sono l'angelo che ha salvato la vita a isacco. No, non era vero, caino non è per niente un angelo, un angelo è questo che è appena atterrato con un grande rumore d'ali e ha cominciato a declamare come un attore che avesse finalmente sentito la sua battuta, Non alzare la mano contro il bambino, non fargli del male, giacché oramai ho visto che sei obbediente al signore, disposto, per amor suo, a non risparmiare neppure il tuo unico figlio, Arrivi tardi, disse caino, se isacco non è morto è grazie a me che l'ho impedito. L'angelo fece una faccia contrita, Mi spiace molto di essere arrivato in ritardo, ma non è stata colpa mia, mentre stavo venendo mi è sorto un problema meccanico all'ala destra, non era in sincronia con la sinistra, e il risultato sono stati dei continui cambiamenti di rotta che mi disorientavano, mi son trovato nelle pesti per arrivare sin qui, e per giunta non mi avevano spiegato bene quale di questi monti era il luogo del sacrificio, se ce l'ho fatta è stato per un miracolo del signore, Tardi, disse caino, Meglio tardi che mai, rispose l'angelo con prosopopea, come se avesse appena enunciato una verità elementare, Ti sbagli, mai non è il contrario di tardi, il contrario di tardi è troppo tardi, gli rispose caino. L'angelo borbottò, Un altro razionalista, e siccome non aveva ancora portato a termine la missione di cui era stato incaricato trasmise il resto del messaggio, Ecco ciò che ha mandato a dire il signore, Giacché sei stato capace di fare questo e non hai risparmiato neppure tuo figlio, giuro sul mio buon nome che ti benedirò e ti darò una discendenza tanto numerosa quanto le stelle del cielo o le sabbie della spiaggia ed essi si impadroniranno delle città dei loro nemici e, inoltre, attraverso i tuoi discendenti si sentiranno benedetti tutti i popoli del mondo, perché tu hai obbedito al mio ordine, parola del signore. Queste, per chi non lo sappia o finga di ignorarlo, sono le contabilità doppie del signore, disse caino, se una ci ha guadagnato, l'altra non ci ha perso, a parte ciò non capisco come potranno mai essere benedetti tutti i popoli del mondo solo perché abramo ha obbedito a un ordine stupido,

Questa, noi la chiamiamo obbedienza dovuta, disse l'angelo. Poi, zoppicando sull'ala destra, con l'amaro in bocca per il fallimento della missione, la celestiale creatura se n'è andata, anche abramo e suo figlio sono ormai in cammino verso il luogo dove li aspettano i servitori, e adesso, mentre caino sistema le bisacce sulla groppa del giumento, immaginiamo un dialogo tra l'aguzzino frustrato e la vittima salvata in extremis. Domandò isacco, Padre, che male ti ho fatto perché tu abbia voluto uccidermi, proprio io che sono il tuo unico figlio, Male non me ne hai fatto, isacco, Allora perché volevi tagliarmi la gola come se fossi un agnello, domandò il ragazzo, se non fosse apparso quell'uomo a trattenere il tuo braccio, che il signore lo copra di benedizioni, ora staresti riportando a casa un cadavere, L'idea è stata del signore, che voleva fare la prova, La prova di che, Della mia fede, della mia obbedienza, E che razza di signore è questo che ordina a un padre di uccidere il proprio figlio, È il signore che abbiamo, il signore dei nostri antenati, il signore che c'era già quando siamo nati, E se quel signore avesse un figlio, farebbe uccidere anche lui, domandò isacco, Lo dirà il futuro, Allora il signore è capace di tutto, del bene, del male e del peggio, Proprio così, Se tu avessi disobbedito all'ordine, che sarebbe successo, domandò isacco, È costume del signore mandare la rovina, o una malattia, a chi gli è venuto meno, Allora il signore è rancoroso, Penso di sì, rispose abramo a voce bassa, come se temesse di essere udito, al signore niente è impossibile, Neanche un errore o un crimine, domandò isacco, Gli errori e i crimini soprattutto, Padre, non mi ci trovo con questa religione, Dovrai trovartici, figlio mio, non avrai altro rimedio, e ora devo farti una richiesta, un'umile richiesta, Quale, Che dimentichiamo quello che è capitato, Non so se ne sarò capace, padre mio, mi vedo ancora sdraiato su quella legna, legato, e il tuo braccio alzato, col coltello lì a brillare, Quello non ero io, nel pieno delle mie facoltà non lo avrei mai fatto, Vuoi dire che il signore fa impazzire le persone, domandò isacco, Sì, molte volte, quasi sempre, rispose abramo, Comunque sia, chi aveva il coltello in mano eri tu, Il signore aveva organizzato tutto, all'ultimo momento sarebbe intervenuto, hai visto l'angelo che è apparso, È arrivato in ritardo, Il signore avrebbe trovato un altro modo di salvarti, anzi, probabilmente sapeva pure che l'angelo avrebbe tardato e per ciò ha fatto apparire quell'uomo, Si chiama caino, lui, non dimenticare ciò che gli devi, Caino, ripeté abramo obbediente, l'ho conosciuto che ancora non eri nato, L'uomo che ha salvato tuo figlio dall'essere sgozzato e bruciato sul fascio di legna che egli stesso aveva trasportato sulle spalle, Non lo sei stato, figlio mio, Padre, la questione, per quanto me ne importi assai, non è tanto che io sia morto o meno, la questione è che siamo governati da un signore come questo, altrettanto crudele di baal, che divora i propri figli, Dov'è che hai udito questo nome, Si sogna, padre. Sto sognando, disse anche caino quando aprì gli occhi. Si era addormentato sopra il giumento e all'improvviso si svegliò. Si trovava in un paesaggio diverso, con degli alberi rachitici qua e là, e altrettanto secco della terra di nod, ma secco di sabbia, non di cardi. Un altro presente, disse. Gli parve che questo dovesse essere più antico del precedente, quello in cui aveva salvato la vita al ragazzino di nome isacco, e ciò dimostrava che sarebbe potuto andare tanto avanti come indietro nel tempo, e non per volontà propria, poiché, per dirla francamente, si sentiva come qualcuno che più o meno, solo più o meno, sa dove si trova, ma non dove è diretto. Questo luogo, unicamente per dare un esempio delle difficoltà di orientamento che caino sta affrontando, aveva tutto l'aspetto di essere un presente passato da un bel pezzo, come se il mondo si trovasse ancora nelle ultime fasi di costruzione e tutto avesse un aspetto provvisorio. Laggiù in lontananza, giungendo davvero a proposito, sulla linea dell'orizzonte, si distingueva una torre altissima a forma di un cono tronco, cioè, una forma conica a cui avessero tagliato la parte superiore o che ancora non vi fosse stata messa. La distanza era grande, ma a caino, che aveva una vista eccellente, parve di vedere gente che si muoveva intorno all'edificio. La curiosità gli fece toccare le natiche dell'animale perché accelerasse il passo, ma subito dopo la prudenza lo costrinse a ridurre l'andatura. Non aveva la certezza che si trattasse di gente pacifica, e, quand'anche lo fosse stata, vai a sapere cosa sarebbe potuto accadere a un asino carico di due bisacce di alimenti della miglior qualità davanti a una folla di persone per necessità e tradizione disposte a divorare tutto quanto gli comparisse davanti. Non le conosceva, non sapeva chi fossero, ma non sarebbe stato affatto difficile immaginarlo. Però, non poteva neanche lasciare il giumento lì, legato a uno di questi alberi come qualcosa senza valore, poiché avrebbe rischiato di non trovare al ritorno né asino né cibo. Dettava la cautela che prendesse un'altra strada, che lasciasse perdere le avventure, insomma, per dirla in breve, che non sfidasse il destino cieco. La curiosità, però, poté più della cautela. Dissimulò alla meglio l'apertura delle bisacce con i rami di un albero, come se si trattasse di cibo per l'animale, e, alea iacta est, fece rotta verso la torre. A mano a mano che si avvicinava, il rumore delle voci, dapprima tenue, andava via via crescendo fino a trasformarsi in una vera e propria gazzarra. Sembrano dementi, pazzi completi, pensò caino. Sì, erano pazzi per la disperazione perché parlavano e non riuscivano a intendersi, come se fossero sordi e urlassero sempre più forte, inutilmente. Parlavano lingue diverse e in alcuni casi si prendevano in giro e si schernivano gli uni con gli altri come se la lingua di ciascuno fosse più armoniosa e più bella di quella degli altri. La cosa curiosa, in questo caso, ma caino ancora non lo sapeva, è che nessuna di quelle lingue era esistita in precedenza nel mondo, tutti coloro che ora sono qui parlavano benissimo un solo idioma laggiù al loro paese e si capivano senza la minima difficoltà. La fortuna fu che s'imbatté subito in un uomo che parlava ebraico, lingua che gli era toccata in sorte in mezzo a quella confusione creata e che caino già cominciava a conoscere, tra gente lì ad esprimersi, senza dizionari né interpreti, in inglese, in tedesco, in francese, in spagnolo, in italiano, in euscaro, alcuni in latino e greco, e persino, chi l'avrebbe mai pensato, in portoghese. Cos'è tutta questa discordia, domandò caino, e l'uomo rispose, Quando venimmo a stabilirci qui dall'oriente parlavamo tutti la stessa lingua, E come si chiamava, volle sapere caino, Siccome era l'unica che c'era non aveva bisogno di nome, era la lingua, e basta, Che cosa è accaduto dopo, Qualcuno ebbe l'idea di fabbricare dei mattoni e cuocerli nel forno, E come li facevate, domandò il vecchio pigiatore d'argilla sentendo di trovarsi tra la sua gente, Come li avevamo sempre fatti, con argilla, sabbia e pietrisco, come malta usavamo il bitume, E dopo, Dopo decidemmo di costruire una città con una grande torre, quella lì, una torre che arrivasse al cielo, A che scopo, domandò caino, Per diventare famosi, E cosa è accaduto, perché mai la costruzione è ferma, Perché il signore venne a vederla e non gli piacque, Arrivare al cielo è il desiderio di tutti gli uomini giusti, il signore avrebbe dovuto piuttosto dare una mano all'opera, Sarebbe stato bello, sì, ma non andò così, Allora che fece lui, Disse che una volta che ci eravamo messi a fare la torre nessun altro avrebbe potuto impedirci di fare ciò che avessimo voluto, perciò confuse le nostre lingue e da quel momento in poi, come vedi, non ci intendiamo più, E ora, domandò caino, Ora non ci sarà nessuna città, la torre non sarà terminata e noi, ciascuno con la propria lingua, non potremo vivere insieme come abbiamo fatto finora, Quanto alla torre, sarà meglio lasciarla lì come ricordo, tempo verrà in cui dovunque si faranno escursioni per venire a vederne le rovine, Probabilmente non ci saranno neanche le rovine, c'è chi ha sentito dire al signore che, quando ormai non ci fossimo più, avrebbe mandato un forte vento per distruggerla, e quello che il signore dice, lo fa, La gelosia è il suo grande difetto, invece di essere orgoglioso dei figli che ha, ha preferito dar voce all'invidia, è chiaro che il signore non sopporta di vedere gente felice, Tanto lavoro, tanto sudore, per niente, Che peccato, disse caino, ne sarebbe venuta fuori una bella opera, Infatti, disse l'uomo, ora con gli occhi avidi fissi sull'asino. Sarebbe stato per lui una conquista facile se avesse chiesto l'aiuto dei compagni, ma l'egoismo poté più dell'intelligenza. Quando accennò un movimento per mettere mano alla cavezza, il giumento, proprio quello che era uscito dalle stalle di noah con una reputazione di docile, fece una sorta di passo di danza con le zampe anteriori e, volgendo il posteriore, sferrò un paio di calci che gettarono il povero diavolo a pecorone. Sebbene avesse agito per legittima difesa, il giumento ebbe immediatamente la consapevolezza che i suoi buoni motivi non sarebbero stati accettati dalla massa che, sbraitando in tutte le lingue che c'erano e ci sarebbero state nel futuro, avanzava per saccheggiare le bisacce e farlo a polpette. Senza neanche aver bisogno dello stimolo dei calcagni del cavaliere partì in un trotto vivace e subito dopo in un galoppo del tutto inaspettati, vista la sua natura asinina, da animale sicuro ma al quale, teoricamente, non si poteva chiedere fretta. Gli assalitori dovettero rassegnarsi a vederlo sparire in una nuvola di polvere, che avrebbe finito per avere un'altra importante conseguenza, quella di far transitare caino e la sua cavalcatura in un altro presente futuro in questo stesso luogo, ma privo degli audaci rivali del signore, dispersi nel mondo perché ormai non avevano più una lingua comune che li mantenesse uniti. Imponente, maestosa, laggiù c'era la torre, sul filo dell'orizzonte, anche se incompiuta, pareva in grado di sfidare i secoli e i millenni, ma, tutt'a un tratto, c'era e poi non c'era più. Si compiva ciò che il signore aveva annunciato, che avrebbe inviato un vento talmente forte da non lasciare pietra su pietra né mattone su mattone. La distanza non consentiva a caino di rendersi conto della violenza del ciclone spirato dalla bocca del signore né del fragore dei muri che crollavano uno dopo l'altro, i pilastri, le arcate, le volte, i contrafforti, ragion per cui la torre pareva andar giù in silenzio, come un castello di carta, finché tutto finì in un'enorme nuvola di polvere che saliva al cielo e non lasciava vedere il sole. Molti anni dopo si dirà che vi era caduto un meteorite, un corpo celeste, uno dei tanti che vagano nello spazio, ma non è vero, fu la torre di babele, che l'orgoglio del signore non ci consentì di ultimare. La storia degli uomini è la storia dei loro fraintendimenti con dio, né lui capisce noi, né noi capiamo lui.

7

Era scritto nelle tavole del destino che caino avrebbe dovuto rincontrare abramo. Un giorno, in occasione di uno di questi repentini cambiamenti di presente che lo facevano viaggiare nel tempo, ora in avanti ora all'indietro, caino si ritrovò davanti a una tenda, nell'ora più calda, presso le querce di mamre. Gli era parso di intravvedere un anziano che gli ricordava vagamente qualcuno. Per accertarsene chiamò dalla porta della tenda e allora comparve abramo. Cerchi qualcuno, gli domandò questi, Sì e no, sono solo di passaggio, mi è parso di riconoscerti e non mi sono sbagliato, come sta tuo figlio isacco, io sono caino, Ti sbagli, l'unico figlio che ho si chiama ismaele, non isacco, e ismaele è il figlio che ho avuto con la mia schiava agar. Il vivace spirito di caino, ormai allenato in queste situazioni, si illuminò all'improvviso, il gioco dei presenti alternativi aveva manipolato il tempo ancora una volta, gli aveva mostrato prima ciò che sarebbe accaduto solo dopo, cioè, con parole che si vogliono più semplici ed esplicite, il famoso isacco non era ancora nato. Non ricordo di averti mai visto, disse abramo, ma entra, sei a casa tua, ti farò portare dell'acqua per lavarti i piedi e pane per il viaggio, Per prima cosa devo occuparmi del mio giumento, Conducilo sotto quelle querce, laggiù troverai fieno e paglia e c'è un abbeveratoio colmo d'acqua fresca. Caino condusse l'asino per la briglia, gli tolse il basto per alleviarlo del caldo che faceva e lo piazzò sotto un'ombra. Poi soppesò le bisacce quasi vuote pensando a come poter rimediare a una scarsezza di alimenti che stava ormai per divenire allarmante. Ciò che aveva udito da abramo lo aveva rinfrancato, ma c'è da considerare che non di solo pane vive l'uomo, principalmente lui, abituato negli ultimi tempi a prelibatezze gastronomiche ben al di sopra della sua origine e condizione sociale. Lasciando il giumento ai più legittimi piaceri campestri, acqua, ombra, cibo abbondante, caino si incamminò verso la tenda, bussò alla porta per avvisare della sua presenza ed entrò. Vide subito che c'era in corso una riunione alla quale, ovviamente, non era stato invitato, tre uomini, a quanto pareva giunti nel frattempo, chiacchieravano con il padrone di casa. Fece per ritirarsi con la discrezione conveniente, ma abramo disse, Non andare via, siediti, siete tutti miei ospiti, e ora, se mi permettete, andrò a dare i miei ordini. Subito dopo corse dentro la tenda e disse a sara, sua moglie, Presto, impasta tre dosi della miglior farina e fai delle pagnotte. Poi andò dove c'era il bestiame e prese un vitello giovane e grasso, che consegnò a un servitore perché lo cucinasse rapidamente. Una volta fatto questo, servì agli ospiti il vitello che aveva preparato, ivi compreso a caino, Mangia con loro lì, sotto gli alberi, disse. E, come se non bastasse, a tutti servì anche burro e latte. Allora gli domandarono, Dov'è sara, e abramo rispose, È nella tenda. Fu a questo punto che uno dei tre uomini disse, Entro l'anno che viene tornerò nella tua casa e, a tempo debito, tua moglie avrà un figlio. Questo sarà isacco, disse caino a voce bassa, talmente bassa che nessuno parve udirlo. Orbene, abramo e sara erano piuttosto anziani, e lei non era più in età di avere figli. Perciò sorrise, pensando, Com'è che potrò sentire ancora questa gioia se mio marito e io siamo vecchi e stanchi. L'uomo domandò ad abramo, Perché sara ha sorriso, pensando di non poter più avere un figlio a quest'età, forse che per il signore questa è una cosa così tanto difficile. E ripeté quanto aveva detto prima, Entro un anno ripasserò nella tua casa e, al termine del giusto tempo, tua moglie avrà dato alla luce un figlio. Udendo ciò, sara si spaventò e negò di aver sorriso, ma l'altro rispose, Hai sorriso, sì, signora, ti ho visto bene. A questo punto tutti si accorsero che il terzo uomo era proprio il signore dio in persona. Non si è detto al momento giusto che caino, prima di entrare nella tenda, si era calato sugli occhi la fibbia del turbante per nascondere il marchio alla curiosità dei presenti, soprattutto del signore che lo avrebbe riconosciuto immediatamente, perciò, quando il signore gli domandò se il suo nome era caino, rispose, Sono caino, in verità, ma non quello.

La cosa naturale sarebbe stata che il signore, dinanzi alla non del tutto abile schivata, avesse insistito e che caino finisse col confessare di essere proprio lui, quello che aveva assassinato il proprio fratello abele e per quella colpa di vagare scontando la pena di errante e smarrito, ma il signore aveva una preoccupazione ben più pressante e importante che dedicarsi ad appurare la vera identità di un forestiero sospetto. Si dà il caso che gli erano arrivate lassù, nel cielo da cui era venuto alcuni istanti prima, numerose lamentele per i crimini contro natura commessi nelle città di sodoma e gomorra, lì vicino. Da giudice imparziale quale si era sempre pregiato di essere, sebbene non mancassero azioni sue a dimostrare esattamente il contrario, era venuto quaggiù per mettere in chiaro la questione. Ragion per cui era in procinto di dirigersi a sodoma, accompagnato da abramo, e anche da caino, che aveva chiesto, per curiosità di turista, di poterli seguire. I due che erano venuti insieme a lui, ed erano sicuramente degli angeli di compagnia, li avevano preceduti. Allora abramo fece al signore tre domande, Ma distruggerai gli innocenti insieme con i colpevoli, supponiamo che a sodoma ci siano cinquanta innocenti, distruggerai anch'essi, non sarai capace di perdonare tutta la città per riguardo verso quei cinquanta che sono innocenti dal male. E proseguì dicendo, Non è possibile che farai una cosa del genere, signore, condannare a morte l'innocente insieme con il colpevole, in tal modo, agli occhi di tutti, essere innocente o colpevole sarebbe la stessa cosa, orbene, tu, che sei il giudice del mondo intero, devi essere giusto nelle tue sentenze. A questo rispose il signore, Se troverò nella città di sodoma cinquanta persone che siano innocenti, perdonerò tutta la città per riguardo verso di loro. Incoraggiato, pieno di speranza, abramo continuò, Giacché mi son preso la libertà di parlare al mio signore, pur non essendo io più dell'umile polvere della terra, permettimi ancora una parola, supponiamo che non arrivino proprio a cinquanta, che ne manchino magari cinque, distruggerai forse la città a causa di questi cinque. Il signore rispose, Anche se ve ne troverò quarantacinque che siano innocenti, non distruggerò la città. Abramo decise di battere il ferro fintanto che era caldo, Supponiamo ora che ce ne siano quaranta che sono innocenti, e il signore rispose, Anche per quei quaranta non distruggerò la città, E se se ne trovassero trenta, Per quei trenta non farò del male alla città, E se fossero venti, insistette abramo, Non la distruggerò per riguardo a quei venti. Allora abramo si azzardò a dire, Che il mio signore non s'adiri se porrò un'altra domanda ancora, Parla, disse il signore, Supponiamo che ci siano soltanto dieci innocenti, e il signore rispose, Anche così non la distruggerò per riguardo a quei dieci. Dopo aver così risposto alle domande di abramo, il signore si ritirò, e abramo, accompagnato da caino, tornò nella tenda. Di quello che ancora doveva nascere, isacco, non si sarebbe parlato più. Quando arrivarono alle querce di mamre, abramo entrò nella tenda, per uscirne poco dopo con le pagnotte da consegnare a caino come aveva promesso. Caino, che stava sellando il giumento, si fermò per ringraziare del generoso dono, e domandò, Come ti pare che il signore farà a contare i dieci innocenti che, qualora ci siano, eviterebbero la distruzione di sodoma, credi che andrà di porta in porta a indagare sulle tendenze e gli appetiti sessuali dei padri di famiglia e dei loro discendenti maschi, Il signore non ha bisogno di fare scrutini del genere, lui deve solo guardare la città dall'alto per sapere cosa vi accade, rispose abramo, Vuoi dire che il signore ha fatto quest'accordo con te per niente, solo per compiacerti, domandò nuovamente caino, Il signore ha dato la sua parola, Non mi pare proprio, com'è vero che mi chiamo caino, sebbene mi sia chiamato anche abele, che ci siano degli innocenti o meno, sodoma sarà distrutta, e forse stanotte stessa, È possibile, sì, e non sarà solo sodoma, sarà anche gomorra e altre due o tre città della pianura, dove i costumi sessuali si sono altrettanto rilassati, gli uomini con gli uomini e le donne trascurate, E non ti preoccupa ciò che potrebbe succedere a quei due uomini che sono venuti con il signore, Non erano uomini, erano angeli, che li conosco bene, io, Angeli senza ali, Non avranno bisogno di ali se dovranno salvarsi, Ma io ti dico che, a quegli angeli, non vedranno l'ora di mettergli le mani e qualcos'altro addosso, e il signore non sarà per niente soddisfatto di te, io, se fossi al posto tuo, andrei in città a vedere come sta andando, a te non farebbero del male, Hai ragione, ci andrò, ma ti chiedo di accompagnarmi, mi sentirò più sicuro, un uomo e mezzo valgono di più di uno, Siamo due, non uno, Io sono soltanto la metà di un uomo, caino, In tal caso andiamo, se dovessero aggredirci, due o tre potrò ancora farli fuori col pugnale che ho con me sotto la tunica, dopo di che auguriamoci che ci pensi il signore. Allora abramo chiamò un servitore e gli ordinò di condurre il giumento nella stalla. E a caino disse, Se non hai impegni che ti obblighino a partire oggi stesso, ti offro ospitalità per stanotte come piccola ricompensa del favore che mi farai accompagnandomi, Altri favori mi aspetto di poterti fare in futuro, se saranno in mio potere, rispose caino, ma abramo non poteva immaginare dove volesse arrivare con queste misteriose parole. Cominciarono a scendere verso la città e abramo disse, Inizieremo andando a casa di mio nipote lot, figlio di mio fratello haran, lui ci metterà al corrente di ciò che sarà successo. Il sole era ormai tramontato quando arrivarono a sodoma, ma c'era ancora molta luce. Videro allora un grande assembramento di uomini davanti alla casa di lot, e tutti urlavano, Vogliamo quelli che sono lì da te, mandaceli fuori perché vogliamo dormire con loro, e picchiavano contro la porta, minacciando di sfondarla. Disse abramo, Vieni con me, facciamo il giro della casa e chiamiamo dal portone sul retro. Così fecero. Entrarono quando lot, dietro la porta sulla facciata anteriore, stava dicendo, Per favore, amici miei, non commettete un crimine del genere, ho due figlie nubili, potete farne ciò che volete, ma a questi uomini non fate del male perché hanno cercato protezione nella mia casa. Da fuori continuarono a urlare inferociti, ma tutt'a un tratto i clamori cambiarono tono e ora si udivano solo lamentazioni e pianti, Sono cieco, sono cieco, era ciò che dicevano tutti, e domandavano, Dov'è la porta, qui c'era una porta e ora non c'è più. Per salvare i suoi angeli dall'essere brutalmente violati, destino peggiore della morte secondo gli intenditori, il signore aveva accecato tutti gli uomini di sodoma senza eccezione, il che dimostra che, in definitiva, non c'erano neanche dieci innocenti in tutta la città. Dentro casa i visitatori dicevano a lot, Vai via da questo luogo con tutti quelli che ti appartengono, figli, figlie, generi, e quant'altri avrai in questa città perché noi siamo venuti per distruggerla. Lot uscì e andò ad avvisare i suoi futuri generi, che però non gli credettero e se la risero di ciò che ritennero fosse uno scherzo. Era ormai l'alba quando i messaggeri del signore tornarono a insistere con lot, Alzati e porta via tua moglie e le tue due figlie che vivono ancora con te se non vuoi esser colpito anche tu dal castigo della città, non è questa la volontà del signore, ma è ciò che inevitabilmente succederà se non ci obbedirai. E, senza attendere risposta, lo presero per mano, lui, la moglie e le due figlie, e li condussero tutti fuori dalla città. Abramo e caino li seguirono, ma non li avrebbero accompagnati fin sulle montagne dove gli altri stavano andando su consiglio dei messaggeri, se non fosse che lot aveva chiesto di lasciarli fermare in una piccola città, quasi un paese, di nome zoar. Andate, dissero i messaggeri, ma non guardatevi indietro. Lot entrò nella cittadina quando il sole stava per sorgere. Il signore fece allora cadere zolfo e fuoco su sodoma e su gomorra ed entrambe le distrusse sino alle fondamenta, proprio come tutta la regione con tutti i suoi abitanti e tutta la vegetazione. Ovunque si guardasse si vedevano solo rovine, ceneri e corpi carbonizzati. Quanto alla moglie di lot, si guardò indietro disobbedendo all'ordine ricevuto e fu trasformata in una statua di sale. Fino a oggi nessuno è ancora riuscito a capire perché fu castigata in questo modo, quando è così naturale voler sapere cosa succede alle nostre spalle. È possibile che il signore avesse voluto punire la curiosità come se si trattasse di un peccato mortale, ma anche questo non depone molto a favore della sua intelligenza, si veda cosa è successo con l'albero del bene e del male, se eva non avesse dato ad abramo quel frutto da mangiare, se non lo avesse mangiato lei stessa, staremmo ancora nel giardino dell'eden, con tutta la noia che era. Al ritorno, casualmente, si trattennero per qualche istante lungo la strada dove abramo aveva parlato con il signore, e lì caino disse, Ho un pensiero che non mi abbandona, Che pensiero, domandò abramo, Penso che a sodoma e nelle altre città che sono state incendiate c'erano degli innocenti, Se ci fossero stati, il signore avrebbe rispettato la promessa che mi ha fatto di risparmiargli la vita, I bambini, disse caino, quei bambini erano innocenti, Mio dio, mormorò abramo, e la sua voce fu come un gemito, Sì, sarà pure il tuo dio, ma non è stato il loro.

8.

Un attimo dopo, quello stesso caino che era stato a sodoma e si era rimesso in cammino si trovò nel deserto del sinai dove, con grande sorpresa, si vide in mezzo a una folla di migliaia di persone accampate alle pendici di un monte. Non sapeva chi fossero, né da dove venissero, né dove andassero. Se lo avesse domandato a qualcuno si sarebbe denunciato immediatamente come straniero, e questo avrebbe potuto solo arrecargli fastidi e problemi. Mantenendosi, come si vede, prudentemente arretrato ha deciso che stavolta non si sarebbe chiamato né caino né abele, non sia mai che il diavolo stesse tramando e portasse lì qualcuno che poteva aver sentito parlare della storia dei due fratelli e si mettesse a fare domande imbarazzanti. Meglio tenere gli occhi e le orecchie ben aperti e trarre da sé le conclusioni. Una cosa ormai era certa, il nome di un tale mosè era sulla bocca di tutti, di certuni con antica venerazione, con una certa impazienza recente della maggioranza. Ed erano questi ultimi che domandavano, Dov'è mosè, sono quaranta giorni e quaranta notti che è andato sul monte a parlare con il signore e finora nessuna notizia, è evidente che il signore ci ha abbandonato, non vuole più saperne del suo popolo. La via dell'inganno nasce stretta, ma troverà sempre chi sia disposto ad allargarla, diciamo che l'inganno, ripetendo la voce popolare, è come il mangiare e il grattarsi, tutto sta a cominciare. Fra la gente che aspettava il ritorno di mosè dal monte sinai c'era un fratello di lui di nome aaronne, che era stato nominato, ancora al tempo della schiavitù degli israeliti in egitto, sommo sacerdote. Fu a lui che gli impazienti si rivolsero, Avanti, facci degli dèi che ci guidino, perché non sappiamo cosa è successo a mosè, e allora aaronne, che a quanto pare, oltre a non essere un modello quanto a fermezza di carattere, era piuttosto pauroso, invece di rifiutarsi categoricamente, disse, Giacché è questo che volete, prendete i cerchi d'oro dalle orecchie delle vostre mogli e dei vostri figli e figlie, e portatemeli qui. Così fecero tutti. Poi, aaronne gettò l'oro in uno stampo, lo fuse e ne venne fuori un vitello d'oro. Soddisfatto, evidentemente, della sua opera, e senza accorgersi della grave incompatibilità che era sul punto di creare circa l'oggetto delle future adorazioni, o il signore propriamente detto, o un vitello a fungere da dio, annunciò, Domani ci sarà festa in onore del signore. Tutto questo fu udito da caino che, mettendo insieme parole qua e là, brani di dialoghi, accenni di opinioni, cominciò a farsi un'idea, non solo su ciò che stava avvenendo in quel momento ma anche sui suoi precedenti. Lo aiutarono molto le conversazioni ascoltate in una tenda collettiva dove dormivano gli scapoli, quelli che non avevano famiglia. Caino aveva detto di chiamarsi noah, non gli era sovvenuto un nome migliore, ed era stato ben accolto, integrandosi in maniera naturale nelle conversazioni. Già allora i giudei parlavano molto, e a volte troppo. L'indomani mattina girò la voce che mosè stava infine scendendo dal monte sinai e che giosuè, suo aiutante e comandante militare degli israeliti, gli era andato incontro. Quando giosuè udì le grida che si levavano dal popolo, disse a mosè, Ci sono grida di guerra nell'accampamento, e mosè disse a giosuè, Ciò che si ode non sono gioiosi canti di vittoria, né tristi canti di sconfitta, sono solo voci di gente che canta. A stento sapeva ciò che lo aspettava. Entrando nell'accampamento si ritrovò faccia a faccia col vitello d'oro e la gente che vi danzava intorno. Afferrò il vitello, lo spaccò, lo ri-

dusse in polvere e, rivolgendosi ad aaronne, gli domandò, Che
ti ha fatto questo popolo per lasciargli commettere un così
grave peccato, e aaronne che, con tutti i suoi difetti, conosceva il mondo in cui viveva, rispose, O mio signore, non adi-
rarti con me, sai bene che questo popolo è incline al male, l'i-
dea è stata loro, volevano degli altri dèi perché erano ormai
convinti che tu non tornassi, ed è più che sicuro che mi avrebbero ucciso se mi fossi rifiutato di fare la loro volontà. Allora mosè si piazzò all'entrata dell'accampamento e gridò, Chi
è per il signore si unisca a me. Tutti quelli della tribù di levi
si unirono a lui, e mosè proclamò, Ecco ciò che dice il signore, dio di israele, che ciascuno prenda una spada, ritornate al-
l'accampamento e andate di porta in porta, ciascuno di voi
uccidendo il fratello, l'amico, il vicino. E fu così che morirono circa tremila uomini. Il sangue scorreva fra le tende come
un'inondazione che sgorgasse dall'interno della terra stessa,
come se sanguinasse, i corpi sgozzati, sventrati, squartati a
metà, giacevano ovunque, le grida delle donne e dei bambini erano tali che dovevano arrivare alla vetta del monte sinai
dove il signore stava probabilmente godendosi la vendetta.
Caino riusciva a stento a credere a ciò che i suoi occhi vedevano. Non bastavano sodoma e gomorra rase al suolo dal fuoco, qui, alle pendici del monte sinai, era ormai palese la prova irrefutabile della profonda cattiveria del signore, tremila
uomini morti solo perché lui si era irritato per l'invenzione di
un ipotetico rivale in figura di vitello, Io non ho fatto altro
che uccidere un fratello e il signore mi ha castigato, ora voglio proprio vedere chi castigherà il signore per queste morti, pensò caino, e subito dopo proseguì, Lucifero sapeva bene ciò che faceva quando si ribellò contro dio, c'è chi dice lo
abbia fatto per invidia ma non è vero, è che lui conosceva a
fondo la natura maligna del soggetto. Un po' della polvere
d'oro soffiata dal vento macchiava le mani di caino. Se le lavò
in una pozza come se compisse il rituale di scuotersi dai piedi la polvere di un luogo dove fosse stato male accolto, montò

sul giumento e se ne andò via. Aleggiava una nuvola scura sopra la cima del monte sinai, lì c'era il signore.

Per motivi che non è in mano nostra delucidare, quali semplici ripetitori di antiche storie che siamo, passando continuamente dalla credulità più ingenua allo scetticismo più risoluto, caino si vide nel bel mezzo di quella che, senza esagerazione, potremmo definire una tempesta, un ciclone del calendario, un uragano del tempo. Per alcuni giorni, dopo l'episodio del vitello d'oro e della sua breve esistenza, si susseguirono con incredibile rapidità i suoi ormai noti cambiamenti di presente, che sorgevano dal nulla e precipitavano nel nulla sotto forma di immagini isolate, sconnesse, senza continuità né rapporto tra loro, in alcuni casi mostrando ciò che parevano essere battaglie di una guerra infinita di cui nessuno ormai ricordasse più la causa prima, in altri come una farsa grottesca invariabilmente violenta, una sorta di teatrino continuo, rude, stridente, ossessivo. Una di quelle molteplici immagini, la più enigmatica e fugace di tutte, gli mise davanti agli occhi un'enorme distesa d'acqua dove, fino all'orizzonte, non si riusciva a vedere né un'isola né una semplice barca a vela con i suoi pescatori e le sue reti. Acqua, solo acqua, acqua dovunque, nient'altro che acqua che annegava il mondo. Di molte di queste storie non avrebbe potuto caino, ovviamente, essere stato testimone diretto, ma alcune, vuoi che fossero vere o meno, giunsero a sua conoscenza per la ben nota via di qualcuno che le aveva sentite da qualcun altro ed era andato a raccontarle a qualcun altro ancora. Un esempio di queste storie fu lo scandaloso caso di lot e le figlie. Quando sodoma e gomorra furono distrutte, lot ebbe paura di continuare a vivere nella città di zoar, che era lì vicino, e decise di rifugiarsi in una grotta sulle montagne. Un giorno, la figlia maggiore disse alla più giovane, Nostro padre è distrutto, uno di questi giorni ci muore qui, e da queste parti non si trova un solo uomo con cui sposarci, la mia idea è di far ubriacare nostro padre e poi dormire con lui perché ci dia dei discendenti. Così fu fatto, senza che lot se ne rendesse conto, né quando lei si coricò né quando uscì dal letto, e lo stesso avvenne la notte seguente con la figlia più giovane, né quando si coricò né quando uscì dal letto, tant'era sbronzo il vecchio. Le due sorelle rimasero incinte, ma caino, grande specialista in erezioni ed eiaculazioni come piacevolmente confermerebbe lilith, sua prima e finora unica amante, disse quando questa storia gli venne raccontata, A un uomo così tanto ubriaco, al punto di non accorgersi neanche di ciò che sta avvenendo, il coso semplicemente non gli si drizza, e se il coso non gli si drizza, allora non potrà esserci penetrazione, e, dunque, questa storia di generare, nisba. Che il signore abbia ammesso l'incesto come qualcosa di quotidiano e non meritevole di castigo in quelle antiche società da lui gestite, non è che debba sorprenderci alla luce di una natura ancora non dotata di codici morali e in cui l'importante era la propagazione della specie, vuoi che fosse per imposizione del desiderio, vuoi per semplice appetito, o, come si dirà più tardi, per fare del bene senza badare a chi. Il signore stesso aveva detto, Crescete e moltiplicatevi, e senza mettere limitazioni né riserve all'ingiunzione, né con questo sì, né con questo no. È possibile, quantunque per ora non sia più che un'ipotesi di lavoro, che la liberalità del signore in questa faccenda di fare figli avesse a che vedere con la necessità di sopperire alle perdite in morti e feriti che subivano gli eserciti propri e altrui un giorno sì e l'altro pure, come finora si è visto e certo si continuerà a vedere. Basti ricordare ciò che è accaduto alla vista del monte sinai e della colonna di fumo che era il signore, la preoccupazione erotica con cui, quella sera stessa, asciugate le lacrime dei sopravvissuti, si fece in modo di generare in tutta fretta nuovi combattenti per impugnare le spade senza padrone e sgozzare i figli di coloro che ora ne erano usciti vincitori. Si veda solo ciò che è accaduto con i madianiti. Per una di queste casualità di guerra quelli di madian avevano sbaragliato gli israeliti, i quali, viene a proposito dirlo, nonostante tutta la propaganda in contrario, non poche volte hanno finito per essere vinti nella storia. Con questo sassolino nella scarpa, il signore disse a mosè, Devi far sì che gli israeliti si vendichino dei madianiti e poi comincia a prepararti perché ormai sta arrivando l'ora che ti riunisca con i tuoi antenati. Sorvolando sulla spiacevole notizia circa il relativo poco tempo che gli sarebbe rimasto da vivere, mosè ordinò a ciascuna delle dodici tribù di israele di mandare in guerra mille uomini e così radunò un esercito di dodicimila soldati che distrusse quello dei madianiti, nessuno dei quali ebbe salva la vita. Tra coloro che furono uccisi c'erano i re della regione di madian, che erano evi, rechem, sur, hur e reba, anticamente i re avevano dei nomi strani come questi, curiosamente nessuno di loro si chiamò joão né afonso, o manuel, sancho o pedro. Quanto alle donne e ai bambini, gli israeliti li fecero prigionieri e li portarono via, tali e quali ai bottini di guerra, animali, bestiame e tutte le ricchezze. Portarono tutto a mosè e al sacerdote eleazaro e alla comunità degli israeliti che si trovavano nelle steppe di moab, presso il fiume giordano, di fronte a gerico, precisazioni toponimiche che si lasciano qui per dimostrare che non abbiamo inventato niente. Già al corrente dei risultati della battaglia, mosè si adirò quando vide entrare nell'accampamento i militari e domandò loro, Perché non avete ucciso anche le donne, quelle donne che hanno fatto allontanare gli israeliti dal signore portandoli ad adorare il dio balaam, una malvagità che ha causato grande mortalità nel popolo del signore, vi ordino, dunque, di tornare indietro e uccidere tutti i fanciulli e tutte le fanciulle, e le donne sposate, quanto alle altre, le nubili, tenetele a vostro uso. Ormai niente di tutto questo stupiva caino. Ciò che per lui fu una novità assoluta, ragion per cui se ne dà puntuale registrazione, fu la spartizione dei bottini, della quale consideriamo indispensabile lasciare notizia per la conoscenza dei costumi del tempo, chiedendo anticipatamente scusa al lettore per gli eccessi di una minuzia di cui non siamo responsabili. Ecco ciò che il signore disse a mosè, Tu e il sacerdote eleazaro, con i capi dei casati della comunità, conteggerete i bottini che hanno portato, tanto della gente come del bestiame, e divideteli a mezzo, metà per i soldati che sono andati in battaglia e l'altra metà per il resto della comunità. Dalla parte spettante ai soldati preleverai, come tributo al signore, un capo ogni cinquecento, tanto delle persone come degli animali, buoi, asini o pecore. Dalla parte destinata agli israeliti preleverai uno ogni cinquanta, tanto delle persone come del bestiame, buoi, asini, pecore e di ogni specie di animali, e li consegnerai ai leviti, incaricati della custodia del santuario del signore. Mosè fece ciò che dio gli aveva ordinato. Il totale del bottino che i guerrieri israeliti avevano raccolto fu di seicentosettantacinquemila pecore, settantaduemila buoi, sessantunmila asini e trentaduemila donne nubili. La metà che corrispondeva ai soldati che erano andati in battaglia fu, dunque, di trecentotrentasettemilacinquecento pecore, di cui seicentosettantacinque andarono come tributo al signore, dei trentaseimila buoi ne andarono settantadue al signore come tributo, dei trentamilacinquecento asini ne rimasero sessantuno come tributo al signore, e delle sedicimila donne ne andarono trentadue al signore come tributo. L'altra metà, che mosè aveva separato da quanto spettava ai soldati e attribuì alla comunità degli israeliti, era ugualmente di trecentotrentasettemilacinquecento pecore, trentaseimila buoi e trentamilacinquecento asini e sedicimila donne nubili. Da questa metà, mosè ne prelevò un capo ogni cinquanta, tanto delle persone come degli animali, e li consegnò ai leviti incaricati della custodia del santuario del signore, proprio come il signore gli aveva ordinato. Ma non fu tutto. Come riconoscenza verso il signore per aver loro salvato la vita, giacché nessuno era morto in battaglia, i soldati, per il tramite dei rispettivi comandanti, offrirono al signore gli oggetti d'oro che ciascuno aveva trovato nel saccheggio della città. Tra bracciali, braccialetti, anelli, orecchini e collane, furono circa centosettanta chili. Come viene ampiamente dimostrato, il signore, oltre a essere dotato per natura di un'eccellente testa da contabile ed essere rapidissimo nel calcolo mentale, è quello che si dice ricco. Ancora stupefatto per l'abbondanza di bestiame, schiave e oro, frutto della battaglia contro i madianiti, caino pensò, È evidente che la guerra è un affare di prim'ordine, se non proprio il migliore di tutti a giudicare dalla facilità con cui si acquisiscono di punto in bianco migliaia e migliaia di buoi, pecore, asini e donne nubili, questo signore un giorno dovrà chiamarsi davvero dio degli eserciti, non gli vedo altra utilità, pensò caino, e non si sbagliava. È anche possibile che il patto di alleanza che alcuni affermano esistere tra dio e gli uomini non contempli che due articoli, ossia, tu servi a noi, voi servite a me. Quello su cui non c'è dubbio è che le cose sono molto cambiate. Anticamente il signore appariva agli uomini in persona, per così dire in carne e ossa, si vedeva che provava persino una certa soddisfazione nell'esibirsi al mondo, che lo dicano adamo ed eva, che dalla sua presenza trassero beneficio, che lo dica pure caino, sebbene in una brutta occasione, giacché le circostanze, ci riferiamo, è chiaro, all'assassinio di abele, non erano le più adatte a particolari dimostrazioni di contentezza. Ora, il signore si nasconde in colonne di fumo, come se non volesse farsi vedere. Nella nostra opinione di semplici osservatori degli avvenimenti si vergognerà di qualche figuraccia che ha fatto, come nel caso dei bambini innocenti di sodoma che il fuoco divino arrostì.

9

Il luogo è lo stesso, ma il presente è cambiato. Caino ha davanti agli occhi la città di gerico, dove, per motivi di sicurezza militare, non gli avevano permesso di entrare. Si attende da un momento all'altro l'assalto dell'esercito di giosuè e, per quanto caino avesse giurato di non essere israelita, gli hanno negato l'accesso, soprattutto perché non ha avuto alcuna risposta soddisfacente da dare quando gli hanno domandato, Chi sei, allora, se non sei israelita. All'epoca della nascita di caino, gli israeliti erano qualcosa che ancora non c'era e quando, molto più tardi, passarono a esistere, con le disastrose conseguenze ormai fin troppo note, i censimenti celebrati lasciarono fuori la famiglia di adamo. Caino non era israelita, ma non era neanche ittita, o amorreo, o ferezeo, o eveo, o gebuseo. Venne a salvarlo da questa indefinitezza d'identità un maniscalco dell'esercito di giosuè che s'invaghì del giumento di caino, Hai davvero un buon capo, gli disse, Sta con me da quando ho lasciato la terra di nod e non mi ha mai deluso, In tal caso allora, se sei d'accordo, ti assumo come aiutante per il cibo, a condizione che di tanto in tanto mi lasci montare il tuo asino. A caino l'affare parve ragionevole, ma fece ancora un'obiezione, E dopo, Dopo che, domandò l'altro, Quando gerico cadrà, Amico, gerico è solo il principio, quella che sta arrivando è una lunga guerra di conquista in cui i maniscalchi saranno non meno necessari dei soldati,

In tal caso, sono d'accordo, disse caino. Aveva sentito parlare di una famosa prostituta che viveva a gerico, una tal raab che, dalle descrizioni di chi la conosceva, lo aveva fatto sospirare per un incontro che gli rinfrancasse il sangue, giacché dall'ultima notte trascorsa con lilith non aveva mai più avuto una donna sotto di sé. A gerico non lo lasciarono entrare, ma lui non perse la speranza di riuscire a dormire con lei. Il maniscalco fece sapere a chi di dovere che aveva assunto un aiutante solo per il cibo e fu così che caino si ritrovò inserito nei servizi di appoggio dell'esercito di giosuè, curando i guidaleschi degli asini sotto l'esigente guida del capo, asini e solo asini, giacché l'arma di cavalleria propriamente detta non era stata ancora inventata. Dopo un'attesa che a tutti parve eccessiva, si seppe che il signore aveva infine parlato a giosuè, al quale, testualmente, ordinò quanto segue, Per sei giorni, tu e i tuoi soldati sfilerete intorno alla città una volta al giorno, davanti all'arca dell'alleanza procederanno sette sacerdoti, ciascuno suonando una tromba di corno d'ariete, il settimo giorno farete sette giri intorno alla città, mentre i sacerdoti suonano le trombe, quando essi emetteranno un suono più prolungato, il popolo dovrà gridare con tutta la forza e allora le mura della città crolleranno a terra. Contrastando il più legittimo scetticismo, accadde proprio così. In capo a sette giorni di questa manovra tattica mai sperimentata prima, le mura caddero per davvero e tutti si precipitarono dentro la città, ciascuno attraverso il varco che aveva davanti a sé, e gerico fu conquistata. Distrussero tutto quello che c'era, uccidendo a colpi di spada uomini e donne, giovani e vecchi, e pure i buoi, le pecore e i giumenti. Quando caino poté infine entrare in città, la prostituta raab era scomparsa con tutta la famiglia, messi al sicuro come ricompensa per l'aiuto da lei dato al signore nascondendo nella sua casa le due spie che giosuè aveva introdotto a gerico. Quando caino venne a saperlo, perse del tutto l'interesse per la prostituta raab. Malgrado il suo deplorevole passato, non poteva sopportare i traditori, gli esseri più spregevoli del mondo a suo parere. I soldati di giosuè appiccarono il fuoco alla città e bruciarono tutto quello che c'era, tranne l'argento, l'oro, il bronzo e il ferro che, come al solito, furono portati via per il tesoro del signore. Fu allora che giosuè fece la seguente minaccia, Maledetto sia chi tenterà di ricostruire la città di gerico, muoia il figlio più vecchio a chi ne getterà le fondamenta e il più giovane a chi ne erigerà le porte. A quell'epoca le maledizioni erano dei veri e propri capolavori letterari, tanto per la forza dell'intenzione quanto per l'espressione formale in cui si condensavano, se giosuè non fosse stata la crudelissima persona che fu oggi potremmo addirittura prenderlo come modello stilistico, per lo meno nell'importante capitolo retorico delle imprecazioni e maledizioni così poco frequentate dalla modernità. Da lì l'esercito degli israeliti marciò sulla città di ai, che per il dolente nome datole non abbia a perderci, dove, dopo aver subito l'umiliazione di una sconfitta, gli fu ben chiaro che con il signore dio non si scherza. Si dà il caso che un uomo chiamato acan si era impossessato a gerico di un bel po' di cose che dovevano essere condannate alla distruzione e, di conseguenza, il signore s'adirò profondamente con gli israeliti, Questo non si fa, gridò lui, chi si azzardi a disobbedire ai miei ordini, si sta condannando da solo. Nel frattempo giosuè, indotto da informazioni errate delle spie che aveva inviato ad ai, commise l'errore di non valutare debitamente la forza dell'avversario e spedì in battaglia meno di tremila uomini, i quali, attaccati e inseguiti dagli abitanti della città, si videro costretti a fuggire. Come sempre è successo, alla minima sconfitta i giudei perdono la voglia di lottare, e, sebbene nell'attualità non si usino più manifestazioni di scoraggiamento come quelle che venivano praticate al tempo di giosuè, quando si stracciavano le vesti che avevano indosso e si prostravano, con il viso nella terra e il capo coperto di polvere, il piagnisteo verbale è inevitabile. Che il signore abbia educato male questa gente sin dal principio è evidente dalle implorazioni, dalle lamentele, dalle domande di giosuè, Perché ci hai fatto attraversare il giordano, è stato per consegnarci nelle mani degli amorrei e distruggerci, meglio sarebbe stato se fossimo rimasti dall'altra parte del fiume. La sproporzionata esagerazione era evidente, questo stesso giosuè che suole lasciare dietro di sé una scia di molte migliaia di nemici morti in ogni battaglia perde la testa quando gli muore l'insignificanza di trentasei soldati, che tanti furono quelli che ci rimasero nel tentativo di assalto ad ai. E l'esagerazione continuava, O signore, che potrò dire ora, dopo che israele è fuggita davanti al suo nemico, i cananei e tutti gli abitanti del paese ne verranno a conoscenza, e poi ci attaccheranno, e ci distruggeranno, e nessuno si ricorderà più di noi, che farai tu per difendere il nostro prestigio, domandò. Allora il signore, stavolta senza presenza corporea né colonna di fumo, si suppone sia stato solo una voce lì a risuonare nello spazio, destando echi in tutte le montagne e le valli, disse, Gli israeliti hanno peccato, non hanno rispettato il patto dell'alleanza che avevo stretto con loro, si sono impossessati di cose che erano destinate alla distruzione, le hanno rubate, le hanno nascoste e infilate nei loro bagagli. La voce risuonò più forte, È per questo che non hanno potuto resistere ai nemici, perché anche loro sono stati condannati alla distruzione, e io non starò più al vostro fianco fintanto che non distruggerete ciò che, essendo destinato alla distruzione, si trova in vostro potere, alzati, dunque, giosuè, e vai a convocare il popolo, quell'uomo a cui, una volta indicato, vengano ritrovate cose che erano condannate alla distruzione sarà bruciato con tutto ciò che gli appartenga, famiglia e beni. Il giorno seguente, di buon mattino, giosuè diede ordine perché il popolo si presentasse al suo cospetto, tribù dopo tribù. Di domanda in domanda, di indagine in indagine, di denuncia in denuncia, finì per arrivare a un uomo chiamato acan, discendente di carmi, di zabdi e di zerac della tribù di giuda. Allora giosuè, con parole gentili, melliflue, gli disse, Figliuolo, per la gloria più grande di dio, raccontami tutta la verità, qui, davanti al signore, dimmi che cosa hai fatto, non nascondermi nulla. Caino, che assisteva confuso tra gli altri, pensò, Di sicuro lo perdoneranno, giosuè parlerebbe diversamente se l'idea fosse di condannarlo. Intanto acan diceva, È vero, ho peccato contro il signore, re di israele, Parla, raccontami tutto, lo incoraggiò giosuè, Ho visto tra le spoglie un bel mantello della mesopotamia, c'erano anche quasi due chili d'argento e una sbarra d'oro di circa mezzo chilo, e tanto mi son piaciute quelle cose che me le sono prese, E dove sono adesso, dimmi, domandò giosuè, Le ho sotterrate, le ho nascoste sotto terra nella mia tenda, con l'argento sotto. In possesso di questa confessione, giosuè mandò alcuni uomini a perquisire la tenda e là trovarono le varie cose, con l'argento sotto, proprio come aveva detto acan. Le presero, le portarono da giosuè e da tutti gli israeliti e le deposero davanti al signore o, per meglio dire, davanti all'arca dell'alleanza che ne faceva le veci. Giosuè prese allora acan con l'argento, il mantello e la sbarra d'oro, più i figli e le figlie, i buoi, i giumenti e le pecore, la tenda e tutto ciò che egli possedeva e li condusse nella valle di acor. Una volta giunti là, giosuè disse, Giacché sei stato la nostra sventura, poiché per tua colpa sono morti trentasei israeliti, che il signore adesso causi sventura a te. Allora tutte le persone li lapidarono e, successivamente, gli diedero fuoco, a loro e a tutto ciò che avevano. Ammassarono poi sopra acan un gran mucchio di pietre che c'è ancora oggi. Per tale motivo, quel luogo si è chiamato da allora valle di acor, che significa sventura. Così si placò l'ira di dio, ma, prima che il popolo si disperdesse, si udì ancora la voce stentorea proclamare, Siete avvisati, chi me le fa, me le paga, io sono il signore.

Per conquistare la città, giosuè fece schierare trentamila guerrieri e li istruì sull'imboscata che avrebbero dovuto preparare, una strategia che stavolta avrebbe dato i suoi risultati, dapprima una finta per dividere le forze che si trovavano nella città e subito dopo un attacco su due fronti, irresistibile. Furono dodicimila, tra uomini e donne, coloro che morirono quel giorno, ossia tutta la popolazione di ai, giacché nessuno riuscì a scappare, non ci fu un solo sopravvissuto. Giosuè fece impiccare a un albero il re di ai e lo lasciò appeso lì fino al pomeriggio. Al tramonto del sole diede ordine di calare giù il cadavere e gettarlo davanti alla porta della città. Vi ammassarono sopra un gran mucchio di pietre che è ancora là. Nonostante il tempo trascorso, forse si potrebbero ancora trovare dei massi sparsi, uno qui, un altro lì, che ben ci servirebbero a confermare questa deprecabile storia, tratta da antichissimi documenti. Davanti a quanto era appena avvenuto e rammentando ciò che era successo prima, la distruzione di sodoma e gomorra, l'assalto a gerico, caino prese una decisione e andò a informarne il maniscalco suo capo, Me ne vado, disse, non ce la faccio più a vedere intorno a me tanti morti, tanto sangue versato, tanti pianti e tante grida, ridammi il mio asino, ne ho bisogno per il viaggio, Fai male, d'ora in poi le città cadranno una dopo l'altra, sarà una marcia trionfale, quanto all'asino, se volessi vendermelo mi faresti un gran piacere, Neanche a pensarci, lo interruppe caino, ti ho già detto che ne ho bisogno, con le mie sole gambe non arriverei da nessuna parte, Posso rimediartene un altro senza che debba pagarlo, No, sono arrivato sin qui con il mio asino e con il mio asino me ne andrò via da qui, disse caino, e, infilata la mano nella tunica, ne trasse un pugnale, Voglio l'asino ora stesso, in questo istante, altrimenti ti uccido, Morirai anche tu, Moriremo tutti e due, ma tu sarai il primo, Aspettami qui, vado a prenderlo, disse il maniscalco, Non pensare di ingannarmi, non torneresti da solo, andiamo entrambi, tu e io, ma ricordati, il pugnale si conficcherà nel tuo costato prima che tu possa pronunciare una parola contro di me. Il maniscalco ebbe paura che la furia di caino lo facesse passare all'improvviso dalle parole ai fatti, sarebbe stata una stupidaggine perdere la vita a causa di un giumento, per quanto fosse di bell'aspetto. Si avviarono quindi insieme, bardarono l'asino, caino rimediò un po' di cibo da quel che si stava cucinando per l'esercito, e quando le bisacce furono ben rifornite ordinò al maniscalco, Monta, sarà la tua ultima passeggiata sul mio giumento. Sorpreso, l'uomo non poté far altro che obbedire, con un salto montò anche caino, e poco dopo erano ormai fuori dall'accampamento. Dove mi porti, domandò il maniscalco, inquieto, Te l'ho detto, a fare una passeggiata, rispose caino. Cominciarono a muoversi e, cammina cammina, quando la sagoma delle tende stava ormai per perdersi di vista, disse, Smonta. Il maniscalco obbedì, ma quando vide che caino spronava l'asino per proseguire il viaggio, domandò, allarmato, E io, che faccio, Farai ciò che vuoi, ma, se fossi al posto tuo, tornerei all'accampamento, Così lontano, domandò l'altro, Non ti perderai, orientati su quelle colonne di fumo che continuano a salire dalla città. E fu così, con questa vittoria, che si concluse la carriera militare di caino. Si perse la conquista delle città di maccheda, libna, lachis, eglon, ebron e debir, dove ancora una volta tutti gli abitanti furono massacrati, e, a giudicare da una leggenda che ha continuato a essere tramandata di generazione in generazione fino ai giorni odierni, non assistette al più grande prodigio di tutti i tempi, quello in cui il signore fece fermare il sole perché giosuè potesse vincere, ancora con la luce del giorno, la battaglia contro i cinque re amorrei. Tolti gli inevitabili e ormai monotoni morti e feriti, tolti le solite distruzioni e i solitissimi incendi, è una bella storia, dimostrativa del potere di un dio al quale, a quanto pare, nulla sarebbe impossibile. Tutta una menzogna. Vero è che giosuè, vedendo che il sole declinava e che le serpeggianti ombre della notte sarebbero arrivate a proteggere ciò che ancora restava dell'esercito amorreo, alzò le braccia al cielo, con la frase già pronta per la posterità, ma, in quell'istante, udì una voce che gli sussurrava all'orecchio, Silenzio, non parlare, non dire niente, incontriamoci da soli, senza testimoni, nella tenda dell'arca dell'alleanza, perché dobbiamo parlare. Obbediente, giosuè affidò la direzione delle operazioni al suo sostituto nella scala gerarchica del comando e si diresse rapidamente al luogo dell'appuntamento. Si sedette su uno sgabello e disse, Eccomi, signore, fammi sapere la tua volontà, Suppongo che l'idea che ti è nata nella testa, disse il signore che stava nell'arca, è quella di chiedermi di fermare il sole, Infatti, signore, perché non sfugga nessun amorreo, Non posso fare ciò che mi chiedi. Un subitaneo stupore fece aprire la bocca a giosuè, Non puoi far fermare il sole, domandò, e la voce gli tremava perché credeva di pronunciare, proprio lui, una terribile eresia, Non posso far fermare il sole perché è già fermo, lo è sempre stato da quando l'ho messo in quel posto, Tu sei il signore, tu non puoi equivocarti, ma non è questo ciò che i miei occhi vedono, il sole nasce da quel lato, si muove per tutto il giorno nel cielo e scompare nel lato opposto fino a tornare il mattino seguente, Qualcosa si muove realmente, ma non è il sole, è la terra, La terra sta ferma, signore, disse giosuè con voce tesa, disperata, No, amico, i tuoi occhi ti illudono, la terra si muove, compie dei giri su se stessa e continua a roteare nello spazio intorno al sole, Allora, se è così, fai fermare la terra, che sia il sole a fermarsi o che si fermi la terra, per me è indifferente purché possa farla finita con gli amorrei, Se facessi fermare la terra, non finirebbero solo gli amorrei, finirebbe il mondo, finirebbe l'umanità, finirebbe tutto, tutti gli esseri e le cose che vi si trovano, e persino molti alberi, nonostante le radici che li tengono aggrappati al terreno, tutto verrebbe scagliato verso l'esterno come un sasso quando lo liberi dalla fionda, Pensavo che il funzionamento della macchina del mondo dipendesse soltanto dalla tua volontà, signore, Ormai fin troppo la sto esercitando, e altri in mio nome, ecco perché c'è tanto malcontento, gente che mi ha voltato le spalle, e alcuni che arrivano al punto di negare la mia esistenza, Castigali, Sono fuori dalla mia legge, fuori dalla mia portata, non posso toccarli, la vita di un dio non è poi tanto facile come credete, un dio non è signore di quel continuo voglio, posso e comando che s'immagina, e non sempre si può andare diritto agli scopi, c'è da aggirarli, vero è che ho messo un segno sulla fronte di caino, non l'hai mai visto, non sai chi sia, ma la cosa incomprensibile è che non abbia potere sufficiente per impedirgli di andare dovunque la sua volontà lo conduca e di fare ciò che ritenga meglio, E noi, qui, domandò giosuè, con l'idea sempre fissa sugli amorrei, Farai ciò che avevi pensato, non ti ruberò la gloria di rivolgerti direttamente a dio, E tu, signore, Io spazzerò il cielo dalle nuvole che in questo momento lo coprono, questo posso farlo senza alcuna difficoltà, ma la battaglia dovrai essere tu a vincerla, Se tu ci darai incoraggiamento sarà conclusa prima che il sole tramonti, Farò il possibile, giacché l'impossibile non si può. Prendendo queste parole come un commiato, giosuè si alzò dallo sgabello, ma il signore disse ancora, Non parlerai a nessuno di quanto si è trattato qui fra noi, la storia che verrà raccontata in futuro dovrà essere la nostra e non altra, giosuè chiese al signore di trattenere il sole e così egli fece, nient'altro, La mia bocca non si aprirà se non per confermarla, signore, Vai e distruggimi questi amorrei. Giosuè tornò dal suo esercito, salì su una collina e di nuovo alzò le braccia, O signore, gridò, o dio del cielo, del mondo e di israele, ti imploro di sospendere il movimento del sole verso l'occaso affinché la tua volontà possa compiersi senza ostacoli, dammi un'ora di luce in più, un'ora sola, non sia mai che gli amorrei si nascondano come i codardi che sono e i tuoi soldati non riescano a scovarli nel buio per compiere la tua giustizia, togliendo loro la vita. In risposta, la voce di dio tuonò nel cielo ormai spazzato dalle nuvole terrorizzando gli amorrei ed esaltando gli israeliti, Il sole non si muoverà dal punto in cui si trova per essere testimone della battaglia degli israeliti per la terra promessa, e tu, giosuè, vinci questi cinque re amorrei che mi sfidano, e canaan sarà il frutto maturo che ben presto ti cadrà fra le mani, avanti, dunque, e che nessun amorreo sopravviva al fil di spada degli israeliti. C'è chi dice che la supplica di giosuè al signore fu più semplice, più diretta, che lui si limitò a dire, Sole, fermati su ghibeon, e tu, o luna, fermati sulla valle di aialon, il che mostra che giosuè ammetteva di dover combattere anche dopo il tramonto del sole e con non più che una pallida luna a guidare la punta della spada e della lancia verso la gola degli amorrei. La versione è interessante, ma non viene a modificare affatto l'essenziale, cioè, che gli amorrei furono sbaragliati su tutta la linea e che i crediti della vittoria furono tutti per il signore, che, avendo fatto fermare il sole, non ebbe bisogno di aspettare la luna. A ciascuno il suo, com'è giusto. Ecco quanto fu scritto in un libro chiamato del giusto, che attualmente nessuno sa dove sia andato a finire. Per quasi un intero giorno, il sole stette immobile lì, in mezzo al cielo, senza alcuna fretta di scomparire all'orizzonte, mai, né prima né dopo, vi fu un giorno come quello, in cui il signore, giacché combatteva per israele, diede ascolto alla voce di un uomo.

10.

Caino non sa dove si trova, non capisce se il giumento lo stia conducendo su una delle tante vie del passato o su qualche stretto sentiero del futuro, o se, semplicemente, stia procedendo su qualche altro presente che ancora non si è rivelato. Guarda il terreno secco, i cardi spinosi, i radi arbusti abbrustoliti dal sole, ma terreno secco, cardi e arbusti bruciati è quanto di più si vede in questi paraggi inospitali. Strade in vista, neanche un segnale, partendo da qui si potrebbe arrivare dovunque o da nessuna parte, come destini che si rinnovassero o qualcun altro che avesse deciso di attendere un'occasione migliore per palesarsi. Il giumento procede sicuro, lui sì, sembra sapere dove dirigersi, come se seguisse una traccia, quel sempre confuso andirivieni di impronte di sandali, zoccoli o piedi scalzi che occorre osservare con attenzione per non ritrovarsi a tornare indietro immaginando di avanzare, senza deviazioni, diretti alla stella polare. Caino, che nel passato, oltre che incipiente agricoltore, è stato pigiatore d'argilla, è ora un diligente cercatore di piste che, anche quando indeciso, tenta di non perdere la traccia di chi ci è passato prima, avesse o meno trovato un posto dove trattenersi e a quel punto dire fra sé e sé, Sono arrivato. Caino avrà pure degli occhi buoni, non ne dubitiamo, ma non tanto buoni da consentirgli in questo momento di riconoscere, fra i molteplici segnali, le impronte dei propri piedi, la depressione causata da un calcagno o lo strascinamento provocato da una gamba stanca. Caino qui ci è passato, questo sì, è sicuro. Lo scoprirà quando all'improvviso gli comparirà davanti ciò che resta della casa diroccata dove in altri tempi si è protetto dalla pioggia e dove oggi non potrebbe ripararsi perché quanto ancora c'era del tetto ormai è crollato, ora non si vede altro che dei pezzi di muri sbriciolati che, con il trascorrere di altri due o tre inverni, si confonderanno definitivamente con il terreno su cui si erigevano, terra tornata alla terra, polvere tornata alla polvere. Da qui in poi il giumento andrà solo dove vogliano portarlo, è finito il tempo in cui era lui l'unica guida in questo viaggio, oppure no, se lo lasciassero sciolto, immaginiamo noi, il ricordo della vecchia stalla forse sarebbe abbastanza potente per condurlo da sé nella città da cui è partito portando sulla groppa quest'uomo non si sa quanti anni fa. Quanto a caino, è naturale che non si sia dimenticato della strada per arrivare al palazzo. Quando vi entrerà, sarà in suo potere cambiare rotta, abbandonare gli altri presenti che lo attendono prima dell'oggi e dopo l'oggi, e tornare a questo passato foss'anche per un giorno, o per due, forse di più, ma non per tutto il tempo che gli resti da vivere, giacché il suo destino deve ancora compiersi, come a suo tempo si saprà. Caino ha toccato leggermente con i calcagni i fianchi del giumento, là davanti c'è la strada che lo porterà alla città, qualunque sia il tipo di vino che gli abbiano servito nel bicchiere, lì ad attenderlo, è necessario berlo. Vista da vicino, la città non sembra si sia espansa, sono le stesse case arroccate sotto il loro stesso peso, sono gli stessi mattoni, solo il palazzo emerge dalla massa grigiastra delle vecchie costruzioni, e, com'era da prevedere, secondo le regole di questi racconti, lo stesso vecchio si trova all'entrata della piazza, dietro l'angolo, con le stesse pecore legate con la stessa cordicella. Dove sei stato, sei tornato per restare, domandò questi a caino, E tu, ancora qua in giro, non sei ancora morto, ribatté caino, Non morirò fintanto che queste pecore vivranno, devo essere nato per governarle, per impedirgli di mangiare la cordicella che le tiene legate, Altri sono nati per cose peggiori, Parli di te stesso, Forse ti risponderò un'altra volta, ora vado di fretta, Hai qualcuno che ti aspetta, domandò il vecchio, Non lo so, Mi tratterrò qui per vedere se vai via o resti a palazzo, Augurami buona fortuna, Per augurarti buona fortuna dovrei sapere prima ciò che per te sia meglio, Cosa che non so neanch'io, Lo sai che lilith ha un figlio, domandò il vecchio, È naturale, quando sono partito era incinta, Infatti è vero, ha un figlio, Addio, Addio. Senza bisogno di ordine, il giumento avanzò verso la porta del palazzo e lì si fermò. Caino si lasciò scivolare giù dal basto, porse la briglia a uno schiavo accorso nel frattempo e gli domandò, C'è qualcuno a palazzo, Sì, c'è la signora, Vai a dirle che è arrivata una visita, Abele, ti chiami abele, mormorò lo schiavo, mi ricordo bene di te, Vai, allora. Lo schiavo salì le scale e tornò di lì a poco in compagnia di un ragazzino che doveva avere circa nove o dieci anni, È mio figlio, pensò caino. Lo schiavo gli fece segno di seguirlo. In cima alle scale c'era lilith, tanto bella, tanto voluttuosa come prima, Ho intuito che saresti venuto oggi, disse, perciò mi sono vestita così, perché ti facesse piacere vedermi, Chi è questo ragazzino, Il suo nome è enoch ed è tuo figlio. Caino salì i pochi gradini che lo separavano da lilith, prese le mani che lei gli tendeva e, un attimo dopo, se la stringeva fra le braccia. La udì sospirare, sentì che tutto il suo corpo fremeva, e quando lilith disse, Sei tornato, poté rispondere soltanto, Sì, sono tornato. A un cenno, lo schiavo si allontanò col ragazzo, lasciandoli soli. Vieni con me, disse lei. Entrarono nell'anticamera e caino notò che c'erano ancora la branda e lo sgabello da custode che gli erano stati destinati dieci anni prima, Come hai saputo che venivo oggi se io stesso mi son trovato da queste parti senza accorgermene, Non domandarmi mai come so ciò che dico di sapere perché non potrei risponderti, stamattina, quando mi sono svegliata, ho detto ad alta voce, Tornerà oggi, e l'ho detto perché tu lo udissi, e si è avverato, sei qui, ma non penso di domandarti per quanto tempo, Sono appena arrivato, non è il momento di parlare di partenza, Perché sei venuto, È una storia lunga che non si può raccontare così, sulla soglia, Allora verrai a raccontarmela a letto. Entrarono nella camera, dove sembrava non fosse cambiato nulla, come se la memoria di caino, durante la lunga separazione, avesse modificato i ricordi, uno dopo l'altro, per non sorprendersi in questo momento. Lilith cominciò a spogliarsi, e per lei sembrava che il tempo non fosse passato. Fu allora che caino domandò, E noah, È morto, disse lei con semplicità, senza che la voce le tremasse né lo sguardo si sviasse, L'hai ucciso, domandò ancora caino, No, rispose lilith, ti ho promesso che non lo avrei fatto, è morto di morte naturale, Meglio così, disse caino, Anche la città si chiama enoch, ricordò lilith, Come mio figlio, Sì, E chi è stato a dare il nome, A chi, Alla città, Il nome glielo ha messo noah, E perché ha dato alla città il nome di un figlio che non era suo, Non me lo ha mai detto, e io non gliel'ho mai domandato, rispose lilith, ormai coricata, E noah, quando è morto, domandò caino, Tre anni fa, Vuoi dire che per sette anni, agli occhi di tutti, è stato lui il padre di enoch, Si faceva finta, qui lo sapevano tutti che il padre eri tu, anche se, sicuramente, col tempo lo ricordavano solo le persone più vecchie, comunque sia, noah non lo avrebbe trattato meglio se fosse stato figlio suo, Non sembra neanche l'uomo che ho conosciuto, è come se fossero due persone, Nessuno è una persona sola, tu, caino, sei anche abele, E tu, Io sono tutte le donne, tutti i loro nomi sono miei, disse lilith, e ora vieni, presto, vieni, vieni a darmi notizie del tuo corpo, In dieci anni non ho conosciuto altra donna, disse caino mentre si coricava, E io nessun altro uomo, disse lilith, sorridendo maliziosamente, È vero ciò che dici, No, alcuni ci sono stati in questo letto, non molti perché non potevo sopportarli, la mia voglia era di tagliargli la gola quando si liberavano, Ti ringrazio per la franchezza, A te non mentirei mai, disse lilith, e si strinse a lui.

Chetati gli animi, compensati i corpi dalla lunga separazione con interessi altissimi, giunse il momento di mettere ordine nel passato. Lilith gli aveva domandato, Perché sei venuto, ma lui aveva dichiarato già prima di non sapere come fosse arrivato lì, per cui lei modificò l'interrogativo, Che cosa hai fatto in tutti questi anni, fu la domanda, e caino rispose, Ho visto cose che ancora non sono accadute, Vuoi dire che hai indovinato il futuro, Non è che l'ho indovinato, ci sono stato, Nessuno può stare nel futuro, Allora non lo chiameremo futuro, lo chiameremo altro presente, altri presenti, Non capisco, Anch'io all'inizio stentavo a capire, ma poi ho realizzato che, se io ero là, e c'ero per davvero, allora dovevo per forza trovarmi in un presente, quello che prima era stato un futuro non lo era più, il domani era in quel momento, Non ti crederà nessuno, Non penso di parlarne a nessun altro, Peccato per te che non abbia portato nessuna prova, un oggetto qualsiasi di quell'altro presente, Non è stato un presente, ma vari, Fammi un esempio. Allora caino raccontò a lilith l'episodio di un uomo di nome abramo a cui il signore aveva ordinato di sacrificargli il proprio figlio, poi quello di una grande torre con cui gli uomini volevano arrivare al cielo e che il signore abbatté con un soffio, subito dopo quello di una città dove gli uomini preferivano andare a letto con altri uomini e del castigo di fuoco e zolfo che il signore aveva fatto cadere su di loro senza risparmiare i bambini, che non sapevano ancora ciò che avrebbero voluto nel futuro, successivamente quello di un enorme assembramento di gente alle pendici di un monte che chiamavano sinai e la fattura di un vitello d'oro che adorarono e perciò morirono in tanti, quello della città di madian che osò uccidere trentasei soldati di un esercito denominato israelita e la cui popolazione fu sterminata fino all'ultimo bambino, quello di un'altra città, chiamata gerico, le cui mura furono abbattute dal clamore di trombe fatte con corni d'ariete e poi la distruzione di tutto quanto vi era all'interno, compresi, oltre a uomini e donne, giovani e vecchi, anche i buoi, le pecore e i giumenti. Ecco ciò che ho visto, concluse caino, e molto altro per cui non mi bastano le parole, Credi realmente che quanto hai appena raccontato accadrà nel futuro, gli domandò lilith, Contrariamente a quel che si suole dire, il futuro è già scritto, quello che noi non sappiamo è leggere la sua pagina, disse caino mentre si domandava fra sé e sé dove mai fosse andato a prendere quell'idea rivoluzionaria, E che ne pensi del fatto di essere stato scelto per vivere questa esperienza, Non so se sia stato scelto, ma qualcosa la so, sì, qualcosa devo averla appresa, Che cosa, Che il nostro dio, il creatore del cielo e della terra, è assolutamente folle, Come osi dire che il signore dio è folle, Perché solo un folle senza la consapevolezza delle proprie azioni ammetterebbe di essere il colpevole diretto della morte di centinaia di migliaia di persone per poi comportarsi come se non fosse successo niente, a meno che, in definitiva, non si tratti di follia, quella involontaria, quella autentica, ma di pura e semplice cattiveria, Dio non potrebbe mai essere cattivo oppure non sarebbe dio, di cattivo abbiamo il diavolo, Ma neanche può essere buono un dio che dà ordine a un padre di uccidere e bruciare sul rogo il proprio figlio solo per mettere alla prova la sua fede, questo non ordinerebbe di farlo neppure il più maligno dei demoni, Non ti riconosco, non sei lo stesso uomo che ha dormito in passato in questo letto, disse lilith, Neanche tu saresti la stessa donna se avessi visto quello che ho visto io, i bambini di sodoma carbonizzati dal fuoco del cielo, Cos'era questa sodoma, domandò lilith, La città dove gli uomini preferivano gli uomini alle donne, E per questo sono morti, Tutti, non è sfuggita neanche un'anima, non ci sono stati sopravvissuti, Anche le donne che quegli uomini disprezzavano, domandò ancora lilith, Sì, Come al solito, per le donne, da una parte ci piove, dall'altra ci fa vento, Comunque sia, ormai gli innocenti sono abituati a pagare per i peccatori, Che strana idea del giusto pare che abbia il signore, L'idea di chi non deve mai aver avuto la minima nozione di cosa potrebbe essere in futuro una giustizia umana, E tu, ce l'hai, domandò lilith, Io sono soltanto caino, quello che ha ucciso il fratello e che per quel crimine è stato giudicato, Con una certa benevolenza, detto per inciso, osservò lilith, Hai ragione, sarei l'ultimo a negarlo, ma la responsabilità principale ce l'ha avuta dio, quel dio che chiamiamo signore, Non staresti qui se non avessi ucciso abele, pensiamo egoisticamente che da una cosa ne è derivata un'altra, Ho vissuto ciò che avevo da vivere, uccidere mio fratello e dormire con te nello stesso letto sono tutti effetti della stessa causa, Quale, Che siamo nelle mani di dio, o del destino, che è l'altro suo nome, E ora, che intendi fare, domandò lilith, Dipende, Dipende da che, Se mai arriverò a essere padrone di me stesso, se avrà fine questo passare da un tempo all'altro senza che la mia volontà sia chiamata in causa, farò quella che si suole definire una vita normale, come gli altri, Non come tutti quanti, ti sposerai con me, un figlio nostro ce l'abbiamo già, questa è la nostra città, e io ti sarò fedele come la corteccia dell'albero al tronco cui appartiene, Ma se non sarà così, se la mia sorte continuerà, allora, in qualsiasi luogo in cui mi trovi sarò soggetto a cambiare da un tempo all'altro, non saremo mai sicuri, né tu né io, del domani, e inoltre, Inoltre, che, domandò lilith, Sento che ciò che mi accade deve avere un significato, un qualche senso, sento che non devo fermarmi a metà strada senza scoprire di che si tratta, Ciò significa che non ti tratterrai, che uno di questi giorni partirai, disse lilith, Sì, credo sarà così, se sono nato per vivere qualcosa di diverso, devo sapere che cosa e a che fine, Godiamoci allora il tempo che ci resta, vieni da me, disse lilith. Si abbracciarono baciandosi, aggrappati l'uno all'altra rotolarono sul letto da un lato all'altro, e quando caino si trovò sopra lilith e stava per penetrarla, lei disse, Il segno della tua fronte è più grande, Molto più grande, domandò caino, Non molto, A volte penso che continuerà a crescere, sempre di più, diffondendosi su tutto il corpo e io mi tramuterò in nero, Solo questo mi mancava, disse lilith scoppiando in una risata, cui subito dopo fece seguito un gemito di piacere quando lui, con una sola spinta, la penetrò fino in fondo.

Erano passate due settimane appena quando caino scomparve. Aveva preso l'abitudine di fare lunghe passeggiate a piedi nei dintorni della città, non perché fosse bisognoso di sole e aria aperta come l'altra volta, benefici naturali che in effetti non gli erano mancati negli ultimi dieci anni, ma per sottrarsi all'atmosfera pesante del palazzo, dove, al di là delle ore passate a letto con lilith, non aveva nient'altro da fare, se non, senza risultati cui valga la pena accennare, scambiare qualche frase con quello sconosciuto che era, per lui, enoch, suo figlio.

11.

All'improvviso, si ritrovò che varcava la porta di una città dove non era mai stato. Immediatamente pensò che non aveva un centesimo né vedeva alcun modo immediato di ottenerlo, dato che lì non lo conosceva nessuno. Se fosse uscito per la sua passeggiata portandosi il giumento, il problema economico sarebbe stato risolto, poiché un animale come quello qualsiasi acquirente avrebbe convenuto che valeva quanto il suo peso in oro. Domandò a due uomini lì di passaggio qual era il nome della città, e uno rispose, Questo posto si chiama terre di uz. Il tono naturale, senza traccia di impazienza, incoraggiò caino a far loro un'altra domanda, E dove potrei trovare lavoro, aggiungendo come a doversi giustificare, È che sono appena arrivato, non conosco nessuno. Gli uomini lo guardarono dall'alto in basso, non trovarono che avesse un aspetto da mendicante o vagabondo, si soffermarono solo un attimo a guardargli il segno sulla fronte, e il secondo disse, Il proprietario più ricco di questi posti e di tutto l'oriente si chiama giobbe, vai a chiedergli di darti un lavoro, potresti essere fortunato, E dove potrò trovarlo, domandò caino, Vieni con noi, ti accompagneremo noi, ha tanti di quei servi che uno in più o uno in meno non gli farà differenza, È così tanto ricco, Immensamente ricco, immagina cosa significa essere padrone di settemila pecore, tremila cammelli, cinquecento coppie di buoi e cinquecento asine, I poveri hanno molta immaginazione, disse caino, anzi, si potrebbe dire che non abbiano altro, ma confesso che a tanto non sono in grado di arrivare. Ci fu un silenzio e poi uno degli uomini disse come per caso, Noi ci siamo già conosciuti, Anch'io ho una vaga idea, disse caino esitante, Ti chiami caino ed eri a sodoma quando la città fu distrutta, abbiamo buona memoria, Sì, è vero, ora ricordo, Ormai lo sai, il mio collega e io siamo angeli del signore, E che valgo io perché due angeli del signore abbiano voglia di darmi una mano in questo frangente, Sei stato buono con abramo, l'hai aiutato perché nella casa di lot non ci accadesse niente di male e questo merita una ricompensa, Non so neanche come ringraziarvi, Siamo angeli, se non facciamo del bene noi, chi lo farà, domandò uno di loro. Per prendere coraggio, caino fece due respiri profondi prima di parlare, Se il vostro incarico a sodoma era distruggere la città, qual è la missione che ora vi ha portato qua, Non possiamo rivelarla a nessuno, avvisò uno, Be', non è un segreto, disse l'altro, e per tutti non lo sarà più quando le cose accadranno, e inoltre, quest'uomo ha già dimostrato di essere di fiducia, Ti assumi la responsabilità della rivelazione, immagina che arrivi e corra a raccontarlo a giobbe, La cosa più probabile è che non gli crederebbe, Be', fai come vuoi, io me ne lavo le mani. Caino si fermò e disse, Non vale la pena che stiate a discutere a causa mia, se vi va raccontate, se non vi va non raccontate, io non costringo né chiedo. Davanti a questa indifferenza persino l'angelo reticente si arrese, Racconta, disse all'altro, e subito dopo, fissando caino con uno sguardo severo, ordinò, E tu, giura che non dirai a nessuno ciò che stai per udire, Lo giuro, disse caino, alzando la mano destra. Allora l'altro angelo cominciò, Giorni fa, come accade di tanto in tanto, tutti gli esseri celesti si sono riuniti al cospetto del signore ed era presente anche satana, e dio gli ha domandato, Da dove vieni ora, e satana ha risposto, Sono andato a spasso e a fare un giro sulla terra, e il signore gli ha fatto un'altra domanda, Non hai notato il mio servo giobbe, non ce n'è altri come lui al mondo, è un uomo buono e onesto, molto religioso e non fa niente di male. Satana, che aveva ascoltato con un mezzo sorriso, sprezzante, ha domandato al signore, Pensi che i suoi sentimenti religiosi siano disinteressati, non è forse vero che tu, proprio come una muraglia, lo proteggi da tutti i lati, lui e la sua famiglia e tutto ciò che gli appartiene. Ha fatto una pausa e proseguito, Ma prova ad alzare la mano contro quello che è suo e vedrai se non ti maledirà. Allora il signore ha detto a satana, Tutto ciò che gli appartiene è a tua disposizione, ma lui non potrai toccarlo. Satana ha ascoltato e se n'è andato via, ed eccoci qua, A che scopo, domandò caino, Perché satana non ecceda, perché non oltrepassi i limiti che gli ha indicato il signore. Allora caino disse, Se ho ben capito, il signore e satana hanno fatto una scommessa, ma giobbe non può sapere di essere l'oggetto di un accordo di giocatori tra dio e il diavolo, Proprio così, esclamarono gli angeli in coro, A me non sembra mica tanto pulito da parte del signore, disse caino, se ciò che ho udito è vero, giobbe, nonostante sia ricco, è un uomo buono, onesto, e per giunta molto religioso, non ha commesso alcun crimine, ma sarà castigato senza motivo con la perdita dei beni, il signore sarà forse giusto, come affermano tanti, ma a me non sembra, mi fa ricordare sempre quello che è accaduto con abramo al quale dio, per metterlo alla prova, ordinò di uccidere il figlio isacco, secondo me, se il signore non si fida delle persone che credono in lui, allora non vedo perché queste persone debbano fidarsi del signore, I disegni di dio sono imperscrutabili, neanche noi, che siamo angeli, possiamo penetrare nel suo pensiero, Sono stanco di questa filastrocca che i disegni del signore sono imperscrutabili, rispose caino, dio dovrebbe essere trasparente e limpido come un cristallo invece di questo continuo spavento, di questa paura costante, insomma, dio non ci ama, È lui che ti ha dato la vita, La vita me l'hanno data mio padre e mia madre, unirono carne a carne e sono nato io, non mi risulta che dio fosse presente all'atto, Dio è in ogni dove, Soprattutto quando fa uccidere, uno solo dei bambini morti come tizzoni a sodoma basterebbe per condannarlo senza remissione, ma la giustizia, per dio, è una parola vana, ora farà soffrire giobbe per via di una scommessa e nessuno gliene chiederà conto, Attenzione, caino, tu parli troppo, il signore ti sta sentendo e prima o poi ti castigherà, Il signore non sente, il signore è sordo, da ogni dove si levano suppliche, sono poveri, infelici, sventurati, tutti lì a implorare quel soccorso che il mondo gli ha negato, e il signore gira loro le spalle, ha cominciato col fare un'alleanza con gli ebrei e ora ha stretto un patto col diavolo, per questo non valeva la pena che ci fosse dio. Gli angeli protestarono indignati, minacciarono di lasciarlo lì senza lavoro, al che il dibattito teologico ebbe termine e la pace fu più o meno fatta. Anzi, uno degli angeli arrivò anche a dire, Credo che il signore apprezzerebbe di discutere con te di questi argomenti, Forse un giorno, rispose caino. Giunti alla porta della grande casa di giobbe, uno degli angeli chiese di parlare col fattore, che non si presentò personalmente, ma mandò un rappresentante a chiedere cosa volevano, Lavoro, disse l'angelo, non per noi, che siamo di altri luoghi, ma per questo nostro amico che è appena arrivato e vuole rifarsi una vita nelle terre di uz, Tu che sai fare, domandò il delegato del fattore, Un po' me ne intendo di asini, sono stato aiutante di un maniscalco nell'esercito di giosuè, Molto bene, è una buona raccomandazione, ti manderò uno schiavo e t'inserirai ora stesso, ho solo bisogno che tu mi dica come ti chiami, Sono caino, E da dove vieni, Dalle terre di nod, Non ne ho mai sentito parlare, Non sei il primo, chi dice terre di nod, dice terre di niente. Allora uno degli angeli disse a caino, Sei affidato, ormai hai un lavoro, Finché durerà, rispose caino con un sorriso spento, Non pensare al peggio, soggiunse il delegato del fattore, chi ha avuto un giorno la fortuna di entrare in questa casa si è ritrovato con un lavoro per tutta la vita, non c'è uomo migliore di giobbe. Gli angeli si accomiatarono da caino con un abbraccio per tornare al loro compito di controllori dell'esecuzione degli ordini del signore, in definitiva, chissà se tutto questo non giungerà ad avere un epilogo migliore di quello apparentemente promesso.

Purtroppo fu peggio di tutto quanto ci si sarebbe potuto attendere. Munito della lettera di pieni poteri che gli era stata concessa, satana attaccò contemporaneamente su tutti i fronti. Un giorno in cui i figli e le figlie di giobbe, sette maschi e tre femmine, erano a tavola a bere vino in casa del fratello maggiore, un messaggero, proprio il nostro ben noto caino, che, come sappiamo, lavorava con gli asini, andò a dire a giobbe, I buoi aravano e le giumente pascolavano lì accanto quando, all'improvviso, sono comparsi i sabei e hanno rubato tutto e passato a fil di spada i servi, solo io l'ho scampata per portarti la notizia. Mentre caino stava ancora parlando arrivò un altro messaggero e disse, Il fuoco di dio si è abbattuto dal cielo, ha bruciato e ridotto in cenere le pecore e gli schiavi, solo io l'ho scampata per portarti la notizia. Non aveva ancora finito di parlare questo che ne arrivò un altro, I caldei, disse, divisi in tre bande, si sono gettati sopra i cammelli e li hanno portati via dopo aver passato a fil di spada i servi, solo io l'ho scampata per portarti la notizia. Stava ancora parlando questo, quand'ecco che ne entrò un altro e disse, I tuoi figli e le tue figlie stavano mangiando e bevendo del vino a casa del fratello maggiore, quando all'improvviso si è levato un ciclone da oltre il deserto e ha investito i quattro lati della casa che è crollata loro addosso uccidendoli tutti, solo io sono riuscito a scamparla per portarti la notizia. Allora giobbe si alzò, si stracciò il mantello e si rase il capo, dopo di che, prostrato a terra, disse, Nudo sono uscito dal ventre di mia madre e nudo tornerò in seno alla terra, il signore mi ha dato, il signore mi ha tolto, benedetto sia il nome del signore. La sciagura di questa infelice famiglia non si fermerà qui, ma, prima di proseguire, ci siano consentite alcune osservazioni. La prima, per manifestare stupore per il fatto che satana potesse disporre a suo piacimento dei sabei e dei caldei a uso dei propri interessi privati, la seconda per esprimere uno stupore ben più grande per il fatto che satana fosse autorizzato a servirsi di un fenomeno naturale, come nel caso del ciclone, e, peggio ancora, e questo, sì, inspiegabile, per il fatto che avesse usato proprio il fuoco di dio per bruciare le pecore e gli schiavi che le sorvegliavano. Dunque, o satana può molto di più di quanto pensassimo, o siamo davanti a una situazione gravissima di complicità tacita, quanto meno tacita, tra il lato maligno e il lato benigno del mondo. Il lutto era caduto come una pietra tombale sulle terre di uz, giacché i morti erano nati tutti nella città, ora condannata, vai a sapere fino a quando, a una miseria generale in cui il meno povero non era certamente giobbe. Pochi giorni dopo questi infausti avvenimenti si svolse nel cielo una nuova assemblea degli esseri celesti e satana era di nuovo fra loro. Allora il signore gli disse, Da dove vieni tu, e satana rispose, Sono andato a fare un altro giro nel mondo e a percorrerlo tutto, Hai notato il mio servo giobbe, domandò il signore, non c'è nessuno come lui sulla terra, uomo integro, retto, timorato di dio e lontano dal male, e che persevera sempre nella virtù, nonostante tu mi abbia istigato contro di lui perché lo affliggessi senza che lo meritasse, e satana rispose, L'ho fatto con il tuo accordo, se giobbe se lo meritava o non se lo meritava, non era affar mio né mia è stata l'idea di tormentarlo, e proseguì, Un uomo è capace di dare tutto ciò che possiede e persino la sua stessa pelle per potersi salvare la vita, ma prova ad alzare la tua mano contro di lui, fa' che subisca la malattia nelle sue ossa e nel suo corpo e vedrai se non ti maledirà faccia a faccia. Disse il signore, È a tua disposizione, ma a condizione che gli risparmi la vita, Questo mi basta, rispose satana e andò direttamente dove si trovava giobbe che ricoprì, in meno tempo di quanto ce ne voglia a dirlo, di piaghe orribili dalla pianta dei piedi alla cima dei capelli. Bisognava vederlo, quello sventurato seduto in mezzo a una strada polverosa mentre si raschiava il pus delle gambe con un coccio di tegola, come l'ultimo degli ultimi. La moglie di giobbe, dalla quale finora non abbiamo udito una parola, neanche per piangere la morte dei dieci figli, pensò che ormai fosse ora di sfogarsi e domandò al marito, Sei ancora saldo nella tua rettitudine, io, se fossi in te, se mi trovassi al posto tuo, maledirei dio anche se dovesse derivarmene la morte, al che giobbe rispose, Stai parlando come un'ignorante, se riceviamo il bene dalla mano di dio, perché non dovremmo ricevere anche il male, fu la domanda, ma la moglie rispose adirata, Per il male c'era satana, che il signore ci si presenti ora come suo concorrente è cosa che non mi sarebbe mai passata per la mente, Non può essere stato dio a ridurmi in questo stato, ma satana, Con l'assenso del signore, disse lei, e aggiunse, Ho sempre sentito dire dagli antichi che le scaltrezze del diavolo non prevalgono sulla volontà di dio, ma ora dubito che le cose siano proprio così semplici, è più che sicuro che satana non dev'essere altro che uno strumento del signore, quello incaricato di portare a termine i lavori sporchi che dio non può firmare col proprio nome. Allora giobbe, al culmine della sofferenza, forse, senza confessarlo, incoraggiato dalla moglie, ruppe la diga del timore di dio che gli sigillava le labbra ed esclamò, Perisca il giorno in cui nacqui e la notte in cui si disse, È stato concepito un uomo, quel giorno si tramuti in tenebra, che dio dall'alto non gli dia attenzione né su di esso brilli la luce, che di lui s'impossessino le tenebre e l'oscurità, che le nuvole lo avvolgano e le eclissi lo spaventino, che non si menzioni quel giorno tra i giorni dell'anno, né si conti tra i mesi, che sia sterile quella famosa notte e in essa non si oda mai un solo grido di gioia, che si oscurino le stelle del tuo crepuscolo, che invano tu aspetti la luce e non veda schiudersi le palpebre dell'aurora poiché non mi hai chiuso il varco del ventre di mia madre, impedendomi di giungere a vedere tanta miseria, e fu così che giobbe continuò a lamentarsi della propria sorte, pagine e pagine di imprecazioni e lamenti, mentre tre amici suoi, elifaz il temanita, bildad il suchita e zofar il naamatita, gli facevano discorsi sulla rassegnazione in generale e il dovere, per ogni credente, di seguire a capo chino la volontà del signore, qualunque essa fosse. Caino aveva ottenuto un lavoro, roba da poco, badare agli asini di un piccolo proprietario, a cui dovette ripetere mille volte, a lui e ai suoi parenti, com'era andata quella storia dell'attacco dei sabei e del furto delle giumente. Supponeva che gli angeli fossero ancora lì in giro a raccogliere informazioni sulla sventura di giobbe per portarle al signore, che doveva essere impaziente, ma, contrariamente alle sue aspettative, furono loro che gli apparvero per felicitarlo di essere scampato alla crudeltà dei nomadi sabei, Un miracolo, dissero. Caino ringraziò com'era suo dovere, ma il privilegio non poteva fargli dimenticare i gravi motivi di lamentela contro dio, che erano in aumento, Suppongo che il signore sarà felice, disse agli angeli, ha vinto la scommessa contro satana e giobbe, nonostante tutto quanto stia soffrendo, non lo ha rinnegato, Lo sapevamo tutti che non lo avrebbe fatto, Anche il signore, immagino, Il signore primo fra tutti, Ciò vuol dire che ha scommesso perché aveva la certezza che avrebbe vinto, In un certo senso, sì, Dunque, tutto è rimasto com'era, in questo momento il signore non sa di giobbe più di quanto ne sapesse prima, Infatti, In tal caso, allora, spiegatemi perché giobbe è lebbroso, coperto di piaghe purulente, senza figli, rovinato, Il signore troverà modo di compensarlo, Risusciterà i dieci figli, erigerà le pareti, farà tornare gli animali che non sono stati uccisi, domandò caino, Questo non lo sappiamo, E che farà il signore a satana, che, a quanto pare, sembra aver fatto un così cattivo uso dell'autorizzazione che gli è stata data, Probabilmente, niente, Come, niente, domandò caino in tono scandalizzato, anche se per le statistiche gli schiavi non contano, c'è un mucchio di altra gente morta, e ora sento che probabilmente il signore non farà niente, Nel cielo le cose sono sempre andate così, non è colpa nostra, Sì, quando in un'assemblea di esseri celesti è presente satana, c'è qualcosa che il semplice mortale non capisce. La conversazione si concluse lì, gli angeli se ne andarono e caino cominciò a pensare che avrebbe dovuto trovare una strada più dignitosa per la sua vita, Non rimarrò qui per il tempo che mi resta a badare agli asini, pensò. Il proposito era meritevole di considerazione e lode, ma le alternative erano nulle, a meno che non tornasse nelle terre di nod e occupasse il suo posto nel palazzo e nel letto di lilith. Sarebbe ingrassato, le avrebbe dato altri due o tre figli, e, ora gli stava venendo in mente, avrebbe potuto andare a vedere come stavano i genitori, se erano ancora vivi, se stavano bene. Ci sarebbe andato sotto mentite spoglie perché non lo riconoscessero, ma quella gioia nessuno gliel'avrebbe tolta. Gioia, si domandò fra sé e sé, per caino non ci sarà mai gioia, caino è colui che ha ucciso il fratello, caino è colui che è nato per vedere l'inenarrabile, caino è colui che odia dio.

Gli mancava, però, un asino che lo portasse. Sulle prime pensò ancora di lasciar perdere gli asini e andarci a piedi, ma, se il passaggio da un presente all'altro avesse tardato, lui non avrebbe potuto far altro che vagare a piedi in quei deserti orientandosi con le stelle quando fosse notte e aspettando che comparissero quando fosse giorno. Inoltre, non avrebbe avuto nessuno con cui chiacchierare. Contrariamente a quello che in genere si pensa, l'asino è un gran chiacchierone, basta pensare ai diversi modi che ha di ragliare e sbuffare e alla varietà di movimenti delle orecchie, mica tutti quelli che montano giumenti ne conoscono il linguaggio, ecco perché poi si verificano certe situazioni apparentemente inspiegabili come quando l'animale si piazza in mezzo alla strada, immobile, e da lì non si muove neanche se lo prendono a bastonate. Si dice allora che il somaro è ostinato come un asino mentre, in definitiva, si tratta piuttosto di un problema di comunicazione, come tante volte succede anche tra gli umani. L'idea di andare a piedi non durò quindi molto a lungo nella testa di caino. Gli occorreva un asino, anche se avesse dovuto rubarlo, ma noi, che poco alla volta lo conosciamo sempre meglio, sappiamo che non lo farà. Nonostante sia un assassino, caino è un uomo intrinsecamente onesto, i giorni dissoluti trascorsi in concubinato con lilith, ancorché censurabili dal punto di vista dei preconcetti borghesi, non sono stati sufficienti a corrompere il suo innato senso morale dell'esistenza, si veda quanto coraggiosamente abbia affrontato dio, anche se, è giocoforza dirlo, il signore non se n'è neanche accorto fino a oggi, a meno che non si rammenti la discussione che hanno avuto davanti al cadavere ancora caldo di abele. In questo andirivieni di pensieri, a caino sovvenne la salvifica idea di comprare uno degli asini a cui badava, ricevendo in moneta sonante solo la metà della paga e lasciando l'altra metà nelle mani del proprietario come pagamento in acconto. L'inconveniente sarebbe stato la lentezza della procedura di liquidazione, ma caino non aveva fretta, non c'era al mondo nessuno ad attenderlo, neanche lilith, per quanto il suo corpo, nervoso e impaziente, continuasse a rigirarsi nel letto. Il padrone degli asini, che non era una cattiva persona, fece i conti a suo modo, così da favorire gli interessi di caino, che non ne ebbe il minimo sospetto, tanto più che le matematiche non erano mai state il suo forte. Non ci vollero molte settimane perché caino si vedesse, finalmente, investito nel possesso del suo giumento. Poteva partire quando voleva. Alla vigilia del giorno stabilito decise di andare a vedere come stava il suo vecchio padrone, se le piaghe gli fossero ormai guarite, ma ebbe il dispiacere di vederlo seduto a terra, davanti alla porta di casa, lì a raschiarsi le ferite alla gamba con un coccio di tegola, proprio come il giorno in cui la maledizione gli si era abbattuta sul capo, che maledizione, e tra le peggiori, fu che dio lo avesse abbandonato nelle mani di satana. Grande nave, grande tormenta, dice il popolo, e la storia di giobbe lo dimostra davvero fin troppo bene. Discreto come conviene a un fuggiasco, caino non si avvicinò per augurargli miglioramenti per la sua salute, in definitiva, questo padrone e questo dipendente non erano neanche arrivati a conoscersi, è proprio questo il brutto della divisione in classi, ciascuno al proprio posto, possibilmente dov'è nato, così non ci sarà modo alcuno di fare amicizia tra provenienti da mondi diversi. In groppa all'asino che ormai gli apparteneva di diritto, caino tornò al suo posto di lavoro per approntare l'equipaggiamento di viaggio. A paragone con il giumento che era rimasto nella scuderia del palazzo di lilith, quel magnifico pezzo d'asino che aveva risvegliato l'avidità del maniscalco a gerico, la nuova cavalcatura è più una sorta di ronzino in pensione che un esemplare da sfilata. Eppure, persino la meno esigente delle indipendenze di giudizio dovrà riconoscere che è solido di gambe, ancorché le abbia sottili e un po' sbilenche. Nell'insieme, come sta pensando il suo vecchio padrone che è venuto a salutarlo alla porta, caino non sarà poi tanto mal servito quando il giorno seguente, di buon mattino, si metterà in viaggio.

12.

Non dovette fare molta strada per lasciare il triste presente delle terre di uz e ritrovarsi circondato da verdeggianti montagne, da lussureggianti valli dove mormoravano rivoli dell'acqua più pura e cristallina che gli occhi umani abbiano mai visto e la bocca assaporato. Questo, sì, sarebbe potuto essere il giardino dell'eden di nostalgica memoria, adesso che ormai sono passati tanti anni e i brutti ricordi, con l'aiuto del tempo, si sono andati più o meno stemperando. E tuttavia si coglieva, nell'incantevole paesaggio, qualcosa di posticcio, di artificiale, come se si trattasse di uno scenario preparato appositamente per un fine impossibile da svelare a chi arrivi in groppa a un banale ciuco e senza una guida michelin. Caino aggirò una rocca che gli occultava buona parte del panorama e si ritrovò all'imbocco di una valle meno alberata, ma non meno attraente di quelle viste in precedenza, dove si estendeva una costruzione di legno che, dall'aspetto delle varie parti e dal colore dei materiali, assomigliava molto a una barca o, per essere più precisi, a una grande arca la cui presenza lì era alquanto intrigante perché una barca, se barca era, si costruisce, teoricamente, in riva all'acqua, e un'arca, tanto più di quelle dimensioni, non è cosa da lasciare in una valle, in attesa non si sa di che. Curioso, caino decise di andare ad appurarlo alla fonte, in questo caso le persone che, o per proprio uso e consumo, o su commissione di terzi, stavano costruendo l'enigmatica barca o la non meno enigmatica arca. Incamminò il giumento verso il cantiere, dove salutò i presenti e tentò di attaccare discorso, Bel posto, questo, disse, ma la risposta, oltre a tardare, fu data nel modo più sintetico possibile, un sì puramente confermativo, indifferente, disinteressato, senza impegno. Caino proseguì, Chi viaggiando capiti da queste parti, come nel mio caso, tutto si aspetterebbe di trovare tranne una costruzione di una tale grandezza, ma l'insinuazione intenzionalmente lusinghiera cadde nel vuoto. Si vedeva che le otto persone che lavoravano all'opera, quattro uomini e quattro donne, non erano disposte a fraternizzare con l'intruso e non facevano niente per dissimulare il muro di ostilità con cui si difendevano dai suoi approcci. Caino decise di smetterla di tergiversare e attaccò, E questa che state facendo, cos'è, una barca, un'arca, una casa, domandò. Il più vecchio del gruppo, un uomo alto, robusto come un sansone, si limitò a dire, Casa non è, E arca neanche, ribatté caino, perché non c'è arca senza coperchio, e il coperchio di questa, se esistesse, non ci sarebbe forza umana che riuscirebbe ad alzarlo. L'uomo non rispose e fece per ritirarsi, ma caino lo trattenne all'ultimo istante, Se non è una casa né un'arca, allora può essere solo una barca, disse, Non rispondere, noè, disse la più anziana delle donne, il signore se la prenderà con te se parlerai più del dovuto. L'uomo assentì con un cenno del capo e disse a caino, Abbiamo molto da fare e le tue chiacchiere ci distraggono dal lavoro, ti chiedo di lasciarci e proseguire per la tua strada, e concluse con un tono leggermente minaccioso, Come potrai ben vedere con i tuoi occhi, qui siamo quattro uomini forti, io e i miei figli, Molto bene, rispose caino, vedo che le antiche regole dell'ospitalità mesopotamica, sin da sempre rispettate nelle nostre terre, hanno perso tutto il valore per la famiglia di noè. In quel preciso momento, in mezzo a un tuono assordante e ai corrispondenti fulmini pirotecnici, il signore si manifestò. Era in abito da lavoro, senza il lussuoso vestiario con cui riduceva all'obbedienza immediata quelli su cui intendeva far colpo senza dover ricorrere alla dialettica divina. La famiglia di noè e lo stesso patriarca si prostrarono all'istante sul suolo disseminato di travi di legno, mentre il signore guardava sorpreso caino e gli domandava, Che ci fai qui, non ti ho mai più visto dal giorno in cui uccidesti tuo fratello, Ti sbagli, signore, ci siamo visti, anche se tu non mi hai riconosciuto, a casa di abramo, tra le querce di mamre, quando andavi a distruggere sodoma, È stato un bel lavoro, quello, pulito ed efficace, soprattutto definitivo, Non c'è niente di definitivo nel mondo che hai creato, giobbe credeva di essere in salvo da tutte le sventure, ma la tua scommessa con satana lo ha ridotto in miseria e il suo corpo è tutta una piaga, proprio come l'ho visto quando sono partito dalle terre di uz, Ora non più, caino, ora non più, la sua pelle è guarita completamente e le greggi che aveva sono raddoppiate, ora possiede quattordicimila pecore, seimila cammelli, mille coppie di buoi e mille giumenti, E come ha fatto a ottenerli, Si è piegato alla mia autorità, ha riconosciuto che il mio potere è assoluto, illimitato, che non devo rendere conto se non a me stesso né reprimermi per considerazioni di ordine personale e che, questo te lo dico ora, sono dotato di una coscienza talmente flessibile da trovarla sempre d'accordo con qualsiasi cosa io faccia, E i figli che giobbe aveva e sono morti sotto le macerie della casa, Un particolare cui non va data troppa importanza, avrà altri dieci figli, sette maschi e tre femmine come prima, per sostituire quelli che ha perso, Proprio come le greggi, Sì, proprio come le greggi, i figli non sono altro che questo, greggi. Noè e la famiglia si erano ormai alzati da terra e assistevano sgomenti al dialogo tra il signore e caino, che sembrava piuttosto quello tra due vecchi amici che si fossero appena rincontrati dopo una lunga separazione. Non mi hai detto che ci sei venuto a fare qua, disse dio, Niente di particolare, signore, tra l'altro, non è che ci son venuto, mi ci sono trovato, Proprio come ti sei trovato a sodoma o nelle terre di uz, E anche sul monte sinai, e a gerico, e alla torre di babele, e nelle terre di nod, e al sacrificio di isacco, Hai viaggiato molto, a quanto pare, Infatti, signore, ma non certo per mia volontà, anzi, mi domando se questi continui cambiamenti che mi hanno portato da un presente a un altro, ora nel passato, ora nel futuro, non siano anch'essi opera tua, No, io non ho niente a che vedere con questo, sono abilità primarie che mi sfuggono, trucchi per épater le bourgeois, per me il tempo non esiste, Ammetti allora che ci sia nell'universo un'altra forza, diversa e più potente della tua, È possibile, non ho l'abitudine di discutere trascendenze oziose, ma sappi una cosa, non potrai allontanarti da questa valle, e non ti consiglio di tentarlo, d'ora in poi le uscite saranno sorvegliate, a ciascuna di esse ci saranno due cherubini con spade di fuoco e l'ordine di uccidere chiunque si avvicini, Come quello che hai messo alla porta del giardino dell'eden, Come lo hai saputo, I miei genitori ne parlavano molto. Dio si rivolse a noè e gli domandò, Hai raccontato a quest'uomo a cosa servirà la barca, No, mio signore, che mi cada la lingua di bocca se mento, ho la mia famiglia come testimone, Sei un servo leale, ho fatto bene a sceglierti, Grazie, signore, e, se mi consenti la domanda, che ne faccio ora di quest'uomo, Portalo con te nella barca e aggregalo alla famiglia, avrai un uomo in più per dare dei figli alle tue nuore, spero che ai loro mariti non importi, Ti prometto che non gliene importerà, anch'io farò in modo di compiere la mia parte, sarò pure vecchio, ma non tanto da girare la faccia davanti a un bel pezzo di donna. Caino decise di intervenire, Si può sapere di che state parlando, domandò, e il signore rispose come se ripetesse un discorso già preparato in anticipo e imparato a memoria, La terra è totalmente corrotta e piena di violenze, vi trovo solo corruzione, poiché tutti i suoi abitanti hanno seguito delle strade sbagliate, la cattiveria degli uomini è grande, tutti i loro pensieri e desideri tendono sempre e unicamente verso il male, mi pento di aver creato l'uomo, poiché per causa sua il mio cuore sta soffrendo amaramente, la fine di tutti gli uomini mi è giunta davanti, in quanto essi hanno riempito la terra di iniquità, io li sterminerò, e altrettanto farò con la terra, quanto a te, noè, ti ho scelto per iniziare la nuova umanità, e così ti ho comandato di costruire un'arca di legni resinosi, di dividerla in compartimenti e calafatarla con bitume all'interno e all'esterno, ti ho ordinato che la sua lunghezza fosse di trecento cubiti, e ci sono, che la larghezza fosse di cinquanta cubiti e l'altezza di trenta, che in alto vi facessi un lucernaio a un cubito dalla cima, che mettessi la porta dell'arca da un lato e vi costruissi un piano inferiore, un secondo e un terzo piano, giacché manderò un diluvio d'acqua che, inondando tutto, eliminerà al di sotto del cielo tutti gli esseri viventi che esistono nel mondo, tutto quanto c'è sulla terra morirà, ma con te, noè, ho fatto un patto di alleanza, al momento giusto entrerai nell'arca con i tuoi figli, tua moglie e le mogli dei tuoi figli, e di tutte le specie di esseri viventi porterai nell'arca due esemplari, maschio e femmina, perché possano vivere insieme con te, dunque, di ciascuna specie diversa di esseri viventi, siano essi volatili, quadrupedi o altri animali, verranno con te due esemplari, devi anche raccogliere e immagazzinare i diversi tipi di cibo che ciascuna specie suole mangiare, come provviste per te e per tutti gli animali. Questo fu il discorso del signore. Allora caino disse, Con queste dimensioni e il carico che avrà dentro, l'arca non potrà fluttuare, quando la valle comincerà a essere inondata non ci sarà spinta dell'acqua capace di sollevarla dal suolo, col risultato che annegheranno tutti quelli che vi siano dentro e l'attesa salvezza si trasformerà in una trappola, Non è questo che dicono i miei calcoli, rettificò il signore, I tuoi calcoli sono sbagliati, una barca deve essere costruita vicino all'acqua, non in una valle circondata da montagne, a una distanza enorme dal mare, quando è terminata la si spinge in acqua ed è il mare stesso, o il fiume, se di fiume si trattasse, che s'incaricano di sollevarla, forse non sai che le barche fluttuano perché ogni corpo immerso in un fluido subisce una spinta verticale e verso l'alto di intensità pari al peso del volume del fluido spostato, è il principio di archimede, Permettimi, signore, di esprimere il mio pensiero, disse noè, Parla, disse dio, palesemente contrariato, Caino ha ragione, signore, se resteremo qui in attesa che l'acqua ci sollevi finiremo per morire tutti annegati e non potrà esserci un'altra umanità. Corrugando la fronte per pensare meglio, il signore girò e rigirò l'argomento e finì per giungere alla stessa conclusione, tanto lavoro per inventare una valle che non era mai esistita prima, e in definitiva per niente. Allora disse, Al caso c'è un buon rimedio, quando l'arca sarà pronta manderò i miei angeli operai per trasportarla nell'aria verso la costa più vicina, È molto peso, signore, gli angeli non ce la faranno, disse noè, Tu non conosci la forza di cui sono dotati gli angeli, con un solo dito solleverebbero una montagna, la mia fortuna è che siano tanto disciplinati, se così non fosse avrebbero già organizzato un complotto per depormi, Come satana, disse caino, Sì, come satana, ma per lui ho già trovato il modo di farlo contento, di tanto in tanto gli lascio tra le mani una vittima con cui intrattenersi, e questo gli basta, Proprio come hai fatto con giobbe, che non ha osato maledirti, ma reca nel cuore tutta l'amarezza del mondo, Che ne sai tu del cuore di giobbe, Niente, ma so tutto del mio e qualcosa del tuo, rispose caino, Non ci credo, gli dèi sono come pozzi senza fondo, se ti ci sporgi dentro non riuscirai a vedere neanche la tua immagine, Col tempo tutti i pozzi finiscono per prosciugarsi, arriverà anche la tua ora. Il signore non rispose, ma guardò fissamente caino e disse, Il tuo segno sulla fronte è più grande, sembra un sole nero che stia spuntando dall'orizzonte degli occhi, Bravo, esclamò caino battendo le mani, non sapevo che ti fossi dato alla poesia, È come dico io, tu non sai niente di me. Con questa afflitta dichiarazione dio si allontanò e, più discretamente che all'arrivo, svanì in un'altra dimensione.

Stuzzicato da una discussione in cui, nell'opinione di qualsiasi osservatore imparziale, non aveva fatto certo un figurone, il signore decise di cambiare i piani. Farla finita con l'umanità non era quella che si sarebbe potuta definire una faccenda urgente, l'obbligata estinzione dell'animale-uomo avrebbe potuto attendere due o tre o anche dieci secoli, ma, una volta presa la decisione, dio cominciava a sentire una specie di prurito sulla punta delle dita che era segno d'impazienza. Decise dunque di mobilitare la sua legione di angeli operai con effetto immediato, ossia, invece di utilizzarli solo per portare l'arca al mare com'era previsto, li mandò ad aiutare l'esausta famiglia di noè che, come si può osservare, era ormai più morta che viva in quel lavoro immane. Pochi giorni dopo comparvero gli angeli, schierati in fila per tre, e immediatamente si misero all'opera. Il signore non aveva esagerato nel dire che gli angeli avevano molta forza, bastava vedere qui la naturalezza con cui si mettevano sottobraccio le spesse tavole di legno, come se fosse il giornale del pomeriggio, e le portavano, se c'era bisogno, da un capo all'altro dell'arca, trecento cubiti o, in misura moderna, centocinquanta metri, praticamente una portaerei. La cosa più sorprendente, però, era il modo come introducevano i chiodi nel legno. Non usavano mica il martello, mettevano il chiodo in posizione verticale, con la punta all'ingiù, e, col pugno chiuso, gli sferravano sulla capocchia un colpo secco, con cui il pezzo metallico penetrava senza alcuna resistenza, come se, invece di entrare in quella durissima quercia, si trattasse di burro in estate. Più stupefacente ancora era vedere come levigavano una tavola, vi posavano sopra la palma della mano, che poi muovevano avanti e indietro, senza produrre un solo trucciolo o la minima traccia di segatura, la tavola, semplicemente, si andava riducendo di spessore fino ad arrivare alla misura giusta. E se c'era da aprire un foro per introdurvi un perno, il semplice dito indice gli bastava. Era uno spettacolo vederli lavorare così. Non c'è da stupirsi, dunque, che l'opera fosse progredita con una celerità prima inimmaginabile, non c'era neanche il tempo per apprezzare i cambiamenti. Durante questo periodo, il signore apparve solo una volta. Domandò a noè se tutto stava andando bene, s'interessò di sapere se caino continuava ad aiutare la famiglia, e certo che sì, signore, aiutava, prova ne sia che aveva già dormito con due delle nuore e si accingeva a dormire con la terza. Il signore gli domandò anche come procedeva quella faccenda di radunare gli animali che sarebbero andati nell'arca, e il patriarca disse che una buona parte era già stata raccolta e che, non appena il lavoro dell'arca fosse terminato, avrebbe riunito quelli che ancora mancavano. Non era vero, era soltanto una piccola parte della verità. C'era in effetti un certo numero di animali, tra i più comuni, in un recinto allestito all'altra estremità della valle, pochissimi se li confrontiamo col piano di raccolta stabilito dal signore, cioè, tutte le bestie viventi, dal panciuto ippopotamo alla pulce più insignificante, senza dimenticare quel che vi fosse al di sotto, ivi compresi i microrganismi, che pure sono importanti. Importanti, in questo ampio e generoso senso, lo sono altresì alcuni animali di cui si parla molto in certi circoli ristretti che coltivano l'esoterismo, ma che nessuno ha mai potuto vantarsi di aver visto. Ci riferiamo, per esempio, all'unicorno, all'araba fenice, all'ippogrifo, al centauro, al minotauro, al basilisco, alla chimera, a tutto quel bestiario difforme e composito che non ha che un'unica giustificazione per esistere, quella di essere stato prodotto da dio in un momento di stravaganza, proprio come il comune ciuco, fra i tanti che pullulano in queste terre. S'immagini l'orgoglio, il prestigio, il credito che noè avrebbe acquistato agli occhi del signore se fosse riuscito a convincere uno di questi animali a entrare nell'arca, preferibilmente l'unicorno, supponendo che mai lo si riesca a trovare. Il problema dell'unicorno è che non se ne conosce la femmina, dunque non c'è modo che possa arrivare a riprodursi per le vie normali della fecondazione e della gestazione, anche se, a pensarci meglio, forse non ne ha bisogno, in definitiva, la continuità biologica non è tutto, basta già che la mente umana crei e ricrei quello in cui oscuramente crede. Per tutti i compiti che ancora mancano da eseguire, e cioè la raccolta completa degli animali e il rifornimento di commestibili, noè si aspetta di poter contare sulla competente collaborazione degli angeli operai i quali, onore sia reso loro, continuano a lavorare con un entusiasmo degno di tutti gli encomi. Gli uni con gli altri, non mostrano alcuna riluttanza a riconoscere che la vita in cielo è quanto di più noioso sia mai stato inventato, sempre quel coro degli angeli lì a proclamare ai quattro venti la grandezza del signore, la generosità del signore, e pure la bellezza del signore. Ormai è tempo che questi e gli altri angeli comincino a sperimentare le gioie semplici della gente comune, mica dev'esserci sempre bisogno, per una maggiore esaltazione dello spirito, di appiccare fuoco a sodoma o soffiare nelle trombe per abbattere le mura di gerico. Almeno in questo caso, dal punto di vista privato degli angeli operai, la felicità sulla terra era del tutto superiore a quella che si poteva avere nel cielo, ma il signore, è chiaro, essendo tanto invidioso com'è, non avrebbe dovuto saperlo, pena di esercitare sui pensieri sediziosi le più dure rappresaglie senza badare a gradi angelici. È stato grazie alla buona armonia regnante tra il personale che stava lavorando all'impresa dell'arca che caino ha potuto ottenere che il suo asino, una volta giunto il momento, sia fatto entrare per la cosiddetta porta del cavallo, e cioè come passeggero clandestino, scampando all'annegamento generale. Ed è stato ancora grazie a questo cordiale rapporto che è riuscito a venire a conoscenza di certi dubbi e perplessità degli angeli. A due di loro, coi quali aveva stabilito dei legami che sul piano umano sarebbero facilmente classificati come di cameratismo e amicizia, caino ha domandato se davvero pensassero che, sterminata questa umanità, quella che le farà seguito non finirà per ricadere negli stessi errori, nelle stesse tentazioni, negli stessi farneticamenti e crimini, e quelli hanno risposto, Noi siamo solo degli angeli, ne sappiamo

129

poco di questa sciarada indecifrabile che voi chiamate natura umana, ma, per dirla con franchezza, non vediamo come potrà risultare soddisfacente la seconda esperienza quando la prima si è rivelata questa distesa di miserie che abbiamo davanti agli occhi, nella nostra sincera opinione di angeli, riassumendo, e considerando le prove date, gli esseri umani non si meritano la vita, Pensate davvero che gli uomini non si meritino di vivere, domandò caino, turbato, Non è questo che abbiamo detto, ciò che abbiamo detto, e lo ripetiamo, è che gli esseri umani, visto il modo in cui si sono comportati nel corso dei tempi conosciuti, non si meritano la vita con tutto quello che, malgrado i suoi lati oscuri, che sono molti, essa ha di bello, di grande, di meraviglioso, rispose uno degli angeli, Dunque, dire una cosa non è lo stesso che dire l'altra, aggiunse il secondo angelo, Se non è lo stesso, lo è quasi, insistette caino, Sarà, ma la differenza sta in questo quasi, ed è enorme, Che io sappia, noi non ci siamo mai domandati se meritassimo o meno la vita, disse caino, Se lo aveste pensato, forse non vi trovereste nell'imminenza di scomparire dalla faccia della terra, Piangere non vale la pena, non si perderà granché, rispose caino dando voce al suo cupo pessimismo nato e formatosi in successivi viaggi negli orrori del passato e del futuro, se i bambini che a sodoma morirono bruciati non fossero nati, non avrebbero dovuto lanciare quelle urla che ho udito mentre il fuoco e lo zolfo si riversavano giù dal cielo sulle loro teste innocenti, La colpa ce l'avevano i genitori, disse uno degli angeli, Non era un motivo per cui i figli dovvessero patirne, L'errore è credere che la colpa dovrà essere intesa allo stesso modo da dio e dagli uomini, disse uno degli angeli, Nel caso di sodoma qualcuno ce l'ha pur avuta, ed è stato un dio assurdamente frettoloso quello che non ha voluto perdere tempo a separare per il castigo solo quelli che, secondo i suoi criteri, stavano praticando il male, e inoltre, angeli, dov'è mai nata quest'idea peregrina che dio, solo perché è dio, debba governare la vita intima dei suoi credenti, stabilendo regole, proibizioni, interdizioni e altre baggianate dello stesso calibro, domandò caino, Questo non lo sappiamo, disse uno degli angeli, Di queste cose, ciò che ci raccontano è quasi nulla, a ben dire noi serviamo solo per i lavori pesanti, aggiunse l'altro in tono di lamentela, quando sarà il momento di sollevare la barca e portarla al mare, ci puoi scommettere fin d'ora che non vedrai né serafini, né cherubini, né troni, né arcangeli, Non mi sorprende, cominciò col dire caino, ma la frase gli rimase a mezz'aria, sospesa, mentre una specie di vento gli fustigava le orecchie e all'improvviso si ritrovò all'interno di una tenda. C'era un uomo coricato, nudo, e quell'uomo era noè che l'ubriachezza aveva trascinato nel più profondo dei sonni. C'era un altro uomo che stava avendo con lui un rapporto carnale e quell'uomo era cam, il più giovane dei suoi figli, padre, a sua volta, di canaan. Cam vide quindi nudo il proprio padre, maniera ellittica questa, più o meno discreta, di descrivere ciò che di sconveniente e riprovevole stava succedendo là dentro. Il peggio, però, fu che il figlio peccaminoso andò poi a raccontare tutto ai fratelli, sem e iafet, che si trovavano fuori dalla tenda, ma questi, compassionevoli, presero un mantello e, tenendolo sollevato, si avvicinarono al padre camminando all'indietro, in modo da non vederlo nudo. Quando noè si sveglierà e si accorgerà dell'oltraggio che gli era stato fatto da cam, dirà, facendo ricadere sul di lui figlio la maledizione che ferirà tutto il popolo cananeo, Maledetto sia canaan, egli sarà l'ultimo degli schiavi dei suoi fratelli, benedetto sia sem dal signore mio dio, che canaan sia suo schiavo, che dio faccia crescere iafet, che i suoi discendenti abitino con quelli di sem e che canaan serva loro da schiavo. Caino ormai non sarà più lì, lo stesso repentino soffio di vento lo ha trasferito alla porta dell'arca nel preciso momento in cui si stavano avvicinando noè e suo figlio cam con le ultime notizie, Partiamo domani, dissero, gli animali sono ormai tutti nell'arca, i commestibili immagazzinati, possiamo levare l'àncora.

13.

Al varo dio non andò. Era occupato con la revisione del sistema idraulico del pianeta, verificando lo stato delle valvole, stringendo qualche madrevite montata male che gocciolava dove non doveva, provando le diverse reti locali di distribuzione, sorvegliando la pressione dei manometri, oltre a un'infinità di altre grandi e piccole incombenze, ciascuna delle quali più importante della precedente e che solo lui, come creatore, ingegnere e gestore dei meccanismi universali, era in condizione di portare a buon fine e confermare con il suo sacro ok. La festa, per gli altri, per lui, la fatica. In momenti del genere si sentiva, più che un dio, un capomastro degli angeli operai, i quali, in questo preciso ed esatto istante, centocinquanta a tribordo dell'arca, centocinquanta a babordo, coi loro abiti da lavoro di un bianco brillante, aspettavano l'ordine di tirar su l'enorme imbarcazione, non diremo all'unisono perché non si sarebbe udita alcuna voce, poiché tutta quest'operazione è opera della mente, ma come se lo pensasse un sol uomo con il suo unico cervello e la sua unica volontà. Un attimo prima l'arca stava lì a terra, l'attimo dopo era salita all'altezza delle braccia alzate degli angeli operai come in un esercizio ginnico con pesi e manubri. Entusiasmati, noè e la famiglia si affacciarono alla finestra per ammirare meglio lo spettacolo, col rischio che qualcuno cadesse giù di sotto, come pensò caino. Una nuova spinta e l'arca si ritrovò in una regione superiore dell'aria. Fu allora che noè lanciò un grido, L'unicorno, l'unicorno. In effetti, galoppando in senso longitudinale all'arca, correva quell'animale senza pari nella zoologia, con il suo corno a spirale, tutto quanto di un biancore abbagliante, come se fosse un angelo, quel cavallo favoloso della cui esistenza tanti avevano dubitato, e alla fin fine era lì, quasi a portata di mano, sarebbe bastato far scendere l'arca, aprirgli la porta e attirarlo con una zolletta di zucchero che è la prelibatezza che la specie equina predilige, è quasi la sua perdizione. All'improvviso l'unicorno, così com'era apparso, scomparve. Le grida di noè, Scendete, scendete, furono inutili. La manovra di discesa sarebbe stata logisticamente complicata, e a che pro se ormai lui si era eclissato, vai a sapere dove sarà in questo momento. Intanto, a una velocità ben superiore a quella dello zeppelin hindenburg, l'arca solcava l'aere in direzione del mare, dove infine atterrò con un fondale sufficiente dando origine a un'onda enorme, un vero e proprio tsunami, che arrivò sulle spiagge, distruggendo le barche e le casupole dei pescatori, facendone annegare un bel po' e mandando in rovina le arti della pesca, come un avvertimento di ciò che sarebbe seguito. Ma il signore non cambiò opinione, i suoi calcoli potevano anche essere sbagliati, ma, siccome la prova del nove non era stata fatta, gli rimaneva ancora il beneficio del dubbio. Dentro l'arca, la famiglia noè rendeva grazie a dio e, per festeggiare la riuscita dell'operazione ed esprimere la sua riconoscenza, sacrificò un agnello al signore, che l'offerta, com'è naturale, conoscendo i precedenti, lasciò deliziato. Aveva ragione, noè era stato una buona scelta come padre della nuova umanità, l'unica persona giusta e onesta di allora, qual era lui, avrebbe emendato gli errori del passato e scacciato dalla terra l'iniquità. E gli angeli, dove sono gli angeli operai, domandò improvvisamente caino. Non c'erano. Eseguita in maniera così perfetta e completa l'incombenza del signore, i diligenti operatori, con la semplicità che li contraddistingueva e di cui ci hanno dato non poche dimostrazioni sin dal primo giorno in cui ci siamo conosciuti, erano rientrati nelle caserme senza aspettare la distribuzione delle medaglie. L'arca, è bene ricordarlo, non ha timone né vela, non funziona a motore, non le si può dare la carica, e condurla a remi sarebbe letteralmente impensabile, neanche le forze di tutti gli angeli operai disponibili nel cielo sarebbero in grado di farla muovere con quel sistema. Navigherà dunque in base alle correnti, si lascerà spingere dai venti che eventualmente spirino in coda, le manovre marinare saranno minime e il viaggio un lungo riposo, salvo le occasioni di attività amatoria, che non saranno poche né brevi e per le quali il contributo di caino, a quanto abbiamo potuto capire, è di quelli esemplari. Ce lo dicano le nuore di noè che non poche volte hanno abbandonato nel cuore della notte il letto dove giacevano coi rispettivi mariti per andare a coprirsi, non solo con il mantello che copre caino, ma con il suo giovane ed esperto corpo.

Trascorsi sette giorni, numero cabalistico per eccellenza, si aprirono infine le saracinesche del cielo. La pioggia cadrà sulla terra, senza sosta, per quaranta giorni e quaranta notti. Dapprincipio non parve notarsi la differenza dell'effetto delle cataratte che si riversavano continuamente giù dal cielo con un ruggito assordante. Era naturale, la forza di gravità incamminava i torrenti verso il mare dove, a prima vista, sembrava che vi scomparissero, ma non tardò che le fonti dell'oceano profondo saltassero a loro volta e l'acqua cominciasse a risalire alla superficie a fiotti e spruzzi alti come delle montagne che apparivano e scomparivano, fondendosi con l'immensità del mare. In mezzo a questa furiosa convulsione acquatica che pareva voler inghiottire tutto, la barca riusciva a resistere, ondeggiando da un lato all'altro come un tappo di sughero, e raddrizzandosi all'ultimo istante quando il mare pareva ormai sul punto di trangugiarla. In capo a centocinquanta giorni, dopo che le fonti del mare profondo e le saracinesche del cielo era come se si fossero chiuse, l'acqua, che aveva coperto tutta la terra fino alle vette delle regioni montuose più alte, cominciò a ritirarsi lentamente. Nel frattempo, però, una delle nuore di noè, la moglie di cam, era morta in un incidente. Contrariamente a ciò che abbiamo detto prima o dato a intendere, nella barca c'era una grande necessità di manodopera, non di marinai, questo è sicuro, ma di personale di pulizia. Centinaia, per non dire migliaia di animali, molti dei quali di grossa stazza, occupavano le stive strapiene e tutti cacavano e pisciavano che era un inno al signore. Pulire tutta quella roba, trasbordare tonnellate di escrementi tutti i giorni era una prova durissima per le quattro donne, una prova fisica prima di tutto, giacché ne venivano fuori esauste, quelle poverette, ma anche sensoriale, con quell'insopportabile fetore di merda e urina che impregnava la pelle. Fu uno di questi giorni di tempesta terrificante, con l'arca che veniva sbatacchiata dalla tormenta e gli animali che si pigiavano uno sull'altro, che la moglie di cam, scivolando sul pavimento lurido, andò a finire sotto le zampe di un elefante. La lanciarono in mare così come si trovava, insanguinata, sporca di escrementi, misere spoglie umane senza onore né dignità. Perché non l'avete pulita prima, domandò caino, e noè rispose, Avrà un sacco d'acqua per lavarsi. Da questo momento in poi e sino alla fine della storia, caino lo odierà a morte. Si dice che non c'è effetto senza causa né causa senza effetto, dando quindi l'impressione che i rapporti tra una cosa e l'altra dovranno essere in ogni momento, non solo palesi, ma comprensibili in tutti i loro aspetti, sia conseguenti che subconseguenti. Non ci arrischiamo a suggerire che si debba includere in questo quadro generale la spiegazione del cambiamento di atteggiamento della moglie di noè. Potrebbe aver pensato semplicemente che, in mancanza della moglie di cam, qualcun'altra avrebbe dovuto occuparne il posto, non per assistere il vedovo nelle sue notti ora solitarie, ma per ripristinare l'armonia regnante in precedenza tra le femmine più giovani della famiglia e l'ospite caino, o, con parole più chiare e dirette, se lui aveva a disposizione tre donne prima, non c'era motivo perché non dovesse continuare ad averle. Non lo sapeva mica, costei, che nella testa dell'uomo ronzavano certe idee che rendevano assolutamente secondaria la questione. In ogni caso, siccome una cosa non pareggia l'altra, caino accolse con simpatia gli approcci di lei, Qui dove mi vedi, malgrado l'età, che non è più quella della prima gioventù, e pur avendo partorito tre figli, mi sento ancora assai appetibile, e tu che ne pensi, caino, gli aveva domandato. Era da un bel po' di tempo che aveva smesso di piovere, l'enorme massa d'acqua s'intratteneva ora a macerare i morti e a spingerli dolcemente, nella sua eterna oscillazione, verso la bocca dei pesci. Caino si era affacciato alla finestra per guardare il mare che brillava sotto la luna, aveva pensato un po' a lilith e a suo figlio enoch, entrambi morti, ma distrattamente, come se non gliene importasse granché, e fu allora che udì sussurrare al suo fianco, Qui dove mi vedi. Da lì si trasferirono, lui e lei, nel cubicolo dove caino era solito dormire, non aspettarono neppure che noè, ormai tra le braccia di morfeo, si assentasse dal mondo, e quando ebbero finito, l'uomo dovette riconoscere che la donna aveva ragione nel giudizio che aveva dato su se stessa, era fatta proprio di stoffa buona, e mostrava di avere, in certi momenti, un'esperienza acrobatica cui le altre non erano riuscite neanche ad avvicinarsi, o per mancanza di vocazione naturale, o per inibizione causata dalla prestazione tradizionale dei rispettivi mariti. E, posto che stiamo parlando di mariti, si dica subito che cam fu il secondo a scomparire. Era salito in coperta per sistemare alcune assi che con il dondolio stridevano e gli impedivano di dormire, quando qualcuno si avvicinò, Mi dai una mano, domandò lui, Sì, fu la risposta, e fu spinto in mare, una caduta dall'altezza di quindici metri che parve interminabile, ma subito dopo finì. Noè sbraitò, s'arrabbiò, disse che, dopo tanto tempo di pratica nella navigazione, solo un'imperdonabile mancanza di attenzione per il lavoro poteva spiegare l'accaduto, Aprite gli occhi, pretese imperiosamente, guardate dove mettete i piedi, e proseguì, Abbiamo perso una coppia, e ciò sta a significare che dovremo copulare molto di più se vogliamo che si compia la volontà del signore, secondo cui dovremo essere noi i padri e le madri della nuova umanità. S'interruppe per un attimo e, rivolgendosi alle due nuore che gli restavano, domandò, Qualcuna di voi è incinta. Una rispose che sì, era incinta, l'altra che non ne era sicura, ma forse, E chi è il padre, Per me, ci scommetto che è caino, disse la moglie di iafet. Per me anche, disse la moglie di sem, Pare impossibile, disse noè, se ai vostri mariti viene a mancare la potenza genetica, la cosa migliore è che andiate a letto solo con caino, proprio come, del resto, avevo già più o meno previsto sin dall'inizio, concluse. Le donne, compresa la moglie dello stesso noè, sorrisero fra sé e sé, lo sapevano loro il perché, quanto agli uomini, non gli era piaciuta affatto la pubblica reprimenda, ma promisero, se glielo consentivano, di essere più diligenti in avvenire. È curioso che le persone parlino con tanta leggerezza del futuro, come se lo avessero in mano, come se fosse in loro potere allontanarlo o avvicinarlo secondo le convenienze e le necessità di ciascun momento. Iafet, per esempio, vede il futuro come una successione di copule ben riuscite, un figlio all'anno, e non poche volte gemelli, lo sguardo compiacente del signore sul suo capo, tante pecore, tante coppie di buoi, insomma, la felicità. Non sa, poveretto, che la fine è vicina, che uno sgambetto lo farà precipitare nel vuoto senza giubbotto salvagente, lì a sbracciare fra le angosce di un'inutile disperazione, urlando, mentre l'arca si va allontanando maestosamente incontro al suo destino. La perdita di un altro membro dell'equipaggio afflisse noè a un massimo indescrivibile, l'auspicata concretizzazione del piano del signore si trovava seriamente a rischio, vista la situazione, che s'imponesse la necessità di duplicare, se non addirittura triplicare il tempo indispensabile a un ragionevole ripopolamento della terra. Sempre più diventava necessaria la collaborazione di caino, ragion per cui noè, giacché lui non sembrava intenzionato a muoversi, decise di fargli un discorso da uomo a uomo, Lasciamo perdere le giravolte e le mezze parole, disse, devi metterti immediatamente all'opera, d'ora in poi sarà quando vuoi e come vuoi, queste preoccupazioni mi stanno uccidendo, io non posso essere di grande aiuto per il momento, Quando vuoi e come vuoi, che significa questo, domandò caino, Sì, e con chi vuoi, rispose noè, esibendo la sua migliore espressione da intenditore, Inclusa tua moglie, volle sapere caino, Insisto che tu lo faccia, la moglie è mia, posso farne ciò che mi aggrada, Tanto più che si tratta di un'opera buona, insinuò caino, Un'opera pia, un'opera del signore, assentì noè con l'adeguata solennità, In tal caso, cominciamo subito, disse caino, falla venire da me nel cubicolo dove dormo e che nessuno venga a disturbarci, accada quel che accada e si oda quel che si oda, Lo farò, e che sia fatta la volontà del signore, Amen. Non mancherà chi pensi che il malizioso caino si stia divertendo in questa situazione, giocando al gatto e al topo con i suoi innocenti compagni di navigazione che, come il lettore avrà ormai sospettato, sta eliminando uno dopo l'altro. Sarà in equivoco chi creda che sia così. Caino si dibatte nella sua rabbia contro il signore come se fosse imprigionato nei tentacoli di un polpo, e queste sue vittime di ora non sono altro, come lo era già stato abele nel passato, che altrettanti tentativi di uccidere dio. La prossima vittima sarà proprio la moglie di noè, che, senza meritarselo, pagherà con la vita le ore di piacere passate tra le braccia del suo futuro assassino con la benedizione e la connivenza del marito stesso, a tal punto era arrivata la deliquescenza dei costumi di questa umanità ai cui ultimi giorni stiamo assistendo. Dopo la ripetizione, e comunque con alcune variazioni più o meno sottili, di un bel po' di eccessi di delirio erotico di cui fu protagonista principalmente la donna ed espressi, come sempre, con mormorii, gemiti e subito dopo grida incontrollabili, caino la condusse tenendola per mano alla finestra per prendere il fresco della notte e da lì, infilandole le mani fra le cosce ancora frementi di piacere, la fece precipitare in mare. Delle otto persone che componevano la famiglia di noè restavano ora, oltre allo stesso patriarca, suo figlio sem e la moglie e la vedova di iafet. Due donne servono ancora molto, pensava noè con il suo indefettibile ottimismo e la sua incrollabile fiducia nel signore. Non mancò tuttavia di mostrare la sua meraviglia per l'inspiegabile scomparsa della moglie e la manifestò a caino, Era affidata totalmente alle tue cure, non capisco come possa essere successa questa disgrazia, al che caino rispose domandandogli, Ero forse la guardia del corpo di tua moglie, forse che me la portavo appresso legata per la caviglia con una cordicella come se fosse una pecora, Non dico questo, si schermì noè, ma lei dormiva con te, avresti potuto accorgerti di qualcosa, Ho il sonno pesante. La discussione non andò oltre, in realtà, non si poteva certo dare a caino la responsabilità del fatto che la donna si fosse alzata per andare a urinare fuori, alla brezza notturna, e lì, colta per esempio da un capogiro, fosse poi rotolata giù in uno scolo e scomparsa nelle acque. Cose che capitano. Il livello dell'immenso mare che copriva la terra continuava a scendere, ma nessuna vetta di nessuna montagna aveva rialzato il capo per dire, Eccomi, il mio nome è ararat e sto in turchia. Comunque fosse, però, il grande viaggio stava per giungere alla fine, era tempo di iniziare a preparare la conclusione, lo sbarco o quel che dovesse succedere. Sem e la moglie caddero in mare nello stesso giorno in circostanze che resteranno da spiegare, e lo stesso accadde alla vedova di iafet, che ancora la vigilia aveva dormito nel letto di caino. E ora, sbraitava noè strappandosi i capelli nella più nera disperazione, tutto è perduto, senza donne per concepire non ci sarà vita né umanità, meglio sarebbe stato accontentarci di quella che avevamo, che già conoscevamo, e insisteva, in preda al dolore, Con che faccia potrò presentarmi davanti al signore con questa barca piena di animali, che potrò fare, come vivrò il resto della mia vita, Sdraiati qua sotto, gli disse caino, nessun angelo verrà a prenderti fra le braccia. Qualcosa risuonò nella voce con cui lo disse che ricondusse noè alla realtà, Sei stato tu, disse, Sì, sono stato io, rispose caino, ma te non ti toccherò, morirai per mano tua, E dio, che dirà dio, domandò noè, Vai tranquillo, a dio ci penso io. Noè fece la mezza dozzina di passi che lo separavano dal bordo e, senza una parola, si lasciò cadere.

Il giorno seguente la barca toccò terra. Si udì allora la voce di dio, Noè, noè, esci dall'arca con tua moglie e i tuoi figli e le mogli dei tuoi figli, tira fuori dall'arca anche gli animali di tutte le specie che sono lì con te, gli uccelli, i quadrupedi, tutti i rettili che strisciano sulla terra, perché si sparpaglino nel mondo e dovunque si moltiplichino. Ci fu un silenzio, poi la porta dell'arca si aprì lentamente e gli animali cominciarono a uscire. Uscivano, uscivano e non la smettevano di uscire, alcuni grandi, come l'elefante e l'ippopotamo, altri piccoli, come la lucertola e la cavalletta, altri ancora di media misura, come la capra e la pecora. Quando le tartarughe, che erano le ultime, si stavano allontanando, lente e compenetrate com'è nella loro natura, dio chiamò, Noè, noè, perché non esci. Provenendo dall'interno buio dell'arca, sulla soglia della grande porta comparve caino, Dove sono noè e i suoi, domandò il signore, Laggiù, morti, rispose caino, Morti, come, morti, perché, Tranne noè, che è annegato di sua spontanea volontà, gli altri li ho uccisi io, Come hai osato, assassino, contrastare il mio progetto, è così che mi ringrazi per averti risparmiato la vita quando uccidesti abele, domandò il signore, Doveva pur arrivare il giorno in cui qualcuno ti avrebbe messo davanti al tuo vero volto, E la nuova umanità che avevo annunciato, allora, Una c'è stata, un'altra non ci sarà e nessuno ne noterà la mancanza, Tu sei caino, e malvagio, infame uccisore del tuo stesso fratello, Non tanto malvagio e infame quanto te, ricordati dei bambini di sodoma. Ci fu un lungo silenzio. Poi caino disse, Adesso puoi anche uccidermi, Non posso, dio non si rimangia la parola, morirai di morte naturale nella terra abbandonata e gli uccelli rapaci verranno a divorare la tua carne, Sì, dopo che tu avrai prima divorato il mio spirito. La risposta di dio non si riuscì a sentire, e anche le parole seguenti di caino andarono perdute, la cosa più naturale è che siano stati lì a ragionare l'uno contro l'altro una e più volte, ciò che si sa per certo è solo che continuarono a discutere e che stanno ancora discutendo. La storia è finita, non ci sarà nient'altro da raccontare.